タンザニアばなし

鵜沢 由紀子

東京図書出版

まえがき

この本に書かれているエピソードは、大きく三つに分かれている。

１９９３年から１９９７年までのセルー野生動物保護区での経験、２００２年から２００６年までのモロゴロで暮らした日々、そしてモロゴロで借地権を取得し、家を建てた経験についてである。

幼いころ、『野生の王国』という動物番組、『ハタリ！』や『野生のエルザ』などの映画の影響を受け、ドリトル先生とムツゴロウさんにあこがれ、いつの日かアフリカで動物に囲まれて暮らしたいと思うようになった。

夫の任地であるタンザニアに家族として同行したのだが、物心ついたころから夢見ていたアフリカでの生活が実現できたことは、わたしの人生でもっとも幸運なことであった。

タンザニアは、広大なサバンナに生きる、ライオンやゾウ、キリンやシマウマなどの野生動物、ヌーの大移動などを扱ったテレビ番組の舞台となることも多い。有名なキリマンジャロのほか、ザンジバル、セレンゲティ、ンゴロンゴロなど七つの世界遺産があり、人類の宝を擁している。しかし、タンザニアの最大の魅力は、なんといってもそこで暮らす人々である。

タンザニアで過ごした日々について、友人に聞かれても、うまく説明することはできなかった。何か一つのエピソードを話しても、それは断片にすぎない。それに、日本にいると、自分でも、夢ではなかったのかと思われるような経験を、人に伝えることなどとてもできなかった。

何より、もう一度戻れると思っていたし、心の半分はタンザニアに残していたので、過去のこととして気持ちを整理することができないでいた。けれど、時間の経過とともに、もう、あの日々には戻れないことに気がつき始めた。同時に、タンザニアでの経験はとても貴重な得難いものであり、一人でも多くの人に伝えたいと思うようになった。

美しくも厳しい自然環境のなかで、たくましく生きる野生動物はもちろん、脈々と受け継がれてきた知恵と工夫に満ちた日々を営み、悠々と誇り高く生きているタンザニアの人々のすばらしさ。そして、生きることの本質に、否が応でも向き合わざるをえなかった日々から学んだ大切なことが、本書を通して少しでも伝われば幸いです。

それでは、わたしの「タンザニアばなし」を聞いてください。

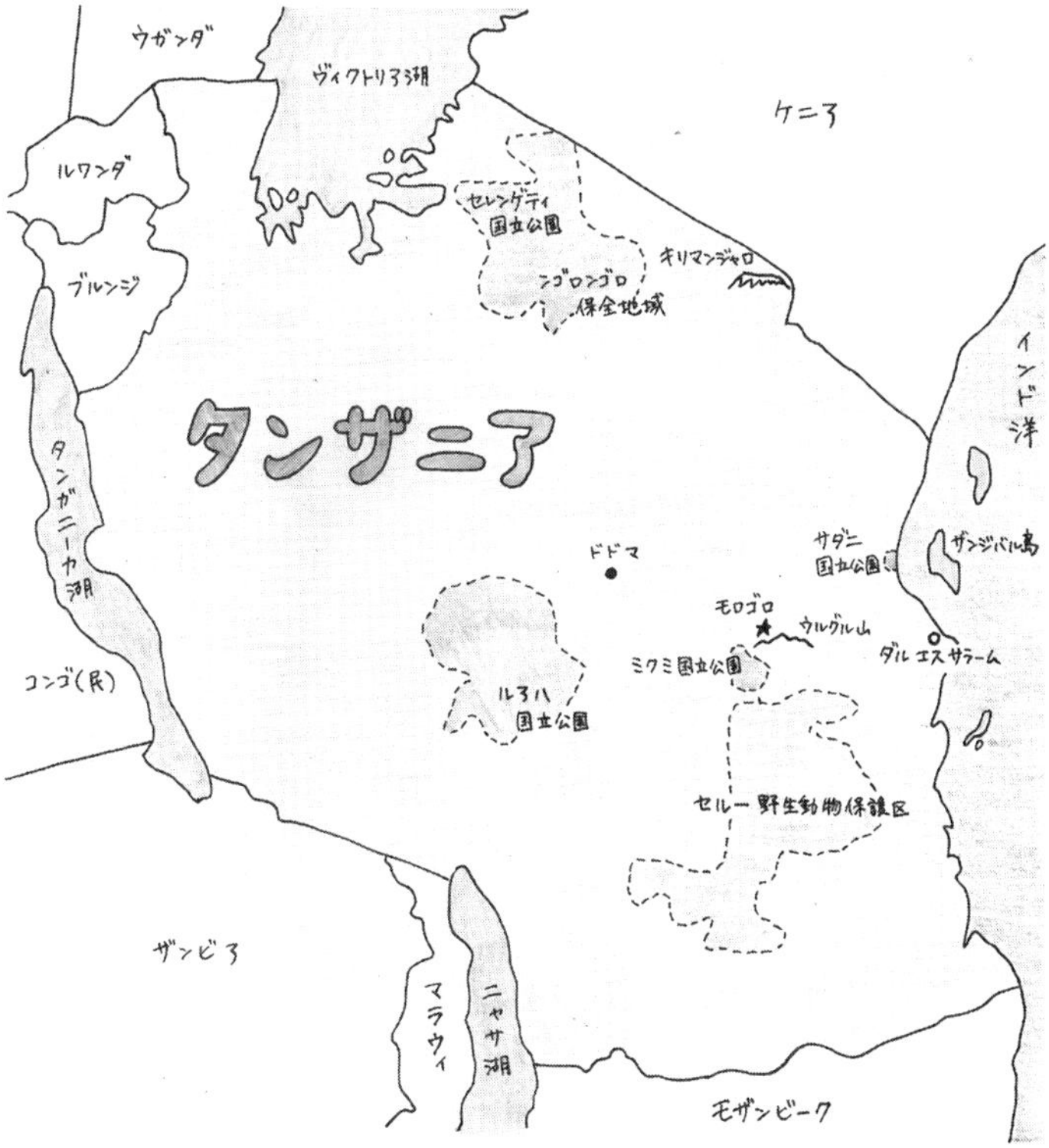
ウガンダ
ヴィクトリア湖
ケニア
ルワンダ
セレンゲティ国立公園
キリマンジャロ
ンゴロンゴロ保全地域
ブルンジ
インド洋
タンザニア
タンガニーカ湖
ザンジバル島
サダニ国立公園
ドドマ
モロゴロ
ウルグル山
ダルエスサラーム
ミクミ国立公園
コンゴ(民)
ルアハ国立公園
セルー野生動物保護区
ザンビア
マラウィ
ニャサ湖
モザンビーク

タンザニアばなし◈目次

2 サファリ

1　セルー野生動物保護区

セルー

1992年の秋の終わり、夫の仕事の先輩から、セルー野生動物保護区（Selous Game Reserve：セルー）での仕事の話があった。それは、高額の宝くじが当たるよりも、ほかの何にも比べられないほど、それまでの人生で最高に幸運な出来事だった。娘は生後3か月ほどだったが、躊躇することなど何もなかった。

いつもはなんでもスローなわたしだが、赴任準備をてきぱきとこなしていった。こういうときのために、いつもはエネルギーをセーブしているのかもしれない。黄熱病など必要な予防接種を受け、一通りの日本食と、娘の成長に合わせて2年分の夏用の子ども服と靴を買いそろえ、段ボール箱につめた。当時乗っていた、スズキ・ジムニーをタンザニアに送る手配も終わり、準備は万全だ。

成田を出発するとき、娘は8か月だった。そのときの写真を見ると、わたしは満面の笑みを浮かべている。夫に抱っこされた娘も、特別な家族のお出かけに大はしゃぎ。夫だけが緊張でこわばった表情をしていた。

セルーはタンザニアの南東部に位置し、アフリカ大陸で最大の動物保護区（九州と四国を合わせた広さ約5万平方キロメートル）で、1982年に世界遺産に登録されている。アフリカゾウの生息数はアフリカ大陸で最大であるが、ゾウの密猟は深刻な問題であり（WWFによると過去40年間で90パーセント減）、密猟防止のレンジャー部隊がパトロールに使う車両や、道路整備のための車両は非常に重要である。

夫の仕事は、セルーにある7か所のレンジャーキャンプの車両の維持管理であり、ダルエスサラームにあるヘッドオフィスとマタンブウェ・ヘッドキャンプが主な活動の場となる。ダルエスサラームのヘッドオフィスは、空港から町に向かう道路沿いにある、天然資源観光省、野生生物局のなかにあった。通称アイボリールームと呼ばれるセルーのオフィスの倉庫には、密猟者から押収した何千本もの象牙が保管されていた。

家族の住居があるダルエスサラームは、タンザニアの経済の中心地で、実質上の首都機能をもつ、活気に満ちあふれた都市である。インド洋の青い海にダウ船（三角帆の木造帆船）が行き交い、ヤシの木が続く白砂の海岸が印象的で、多くの歴史的な名所もある。断水や停電が日常茶飯事で、マラリアや防犯対策が必要であったものの、日本食以外のほとんどのものが手に入る、わたしたちにとっては、住むのに不自由のない町であった。日本人社会があり、小さな子どもを持つ母親同士で子どもを遊ばせるグループがあり、子育てするにもとても恵まれた環境だった。しかし、セルーに行く夫を見送るたびに、一緒について行きたくてたまらなかった。

夫がマタンブウェに何度か出張に行ったとき、わたしと娘のために家を整備してくれ、歩き始めたばかりの娘を連れて、ついに夫と一緒にセルーに行ける日がきた。ダルエスサラームと違って、電気も水道もガスもないというが、キャンプと思えばなんとかなるだろう。食料や日用品はほとんど何も手に入らないので、必要なものはすべて持って行く必要がある。とりあえず、2週間のセルー滞在に必要な食料と飲料水、トイレットペーパー、防虫剤、薬などを業務車のトヨタ・ピックアップに積み込み、チャイルドシートを取り付けて、初めてのセルーに向かった。

セルーへの道

ダルエスサラームを朝7時に車で出発すると、できるだけ急いでもマタンブウェキャンプに到着するのは、午後3時過ぎになる。約8時間の道のりだ。

ダルエスサラームから西に2時間ほど車を走らせ、その9年後に住むことになる、モロゴロの町に入る数キロ手前のガソリンスタンドで燃料を満タンにする。そこからウルグル山地に向かって幹線道路を左折すると、セルーまで未舗装の道が続く。途中、いくつもの村を通りすぎ、林があり、川があり、岩だらけの坂があり、山があり、そして、深いところでは、タイヤがほとんどつかってしまうほど深いムゲタ川を渡らなければならない。

どうしてこんなに岩だらけなのだろうというくらい、岩でごつごつした坂道は、ローギアで半クラッチを使い、どんなに速度を落としても揺れがひどく、車の天井によく頭をぶつけたものだ。ジャングルのような植生が見られる場所は、古生代を思わせる巨大なシダ植物がうっそうとしており、恐竜でも出てきそうな雰囲気だった。パンノキや、本物のソーセージがぶら下がっているかのようなソーセージ・ツリーが目に入ると、お腹がすいたものだ。

観光地になりそうな、高さ10メートルはある奇岩が連なる場所があるが、その周辺に生えているカポック（アフリカキワタ：実からとれる綿はマットレスや枕の詰め物として使われる）の木には、アビシニアコロブスという白黒の珍しいサルがいて、姿が見えると、車を止めて何枚か写真を撮った。

ダルエスサラームを出発する朝、夫が車に荷物を積み込む間、わたしはお弁当を作った。お弁当の中身はいつも同じで、3合分の混ぜ込みわかめのおにぎりと、ケニア製のビーフソーセージを炒めたものと卵焼きだった。おにぎりとソーセージは夕食分のために多めに作った。

　山を越えるタイミングがちょうどお昼の時間だが、そこはまったく日陰がない場所なので、外にシートを広げてお弁当というわけにはいかず、エアコンをきかせた車内で食べるしかない。ちょうどよい木陰のあるような場所は民家や農地が近く、車を止めてお弁当を食べるには気が引けるので、いつも、ガンガンの強い日差しを浴びながらのお弁当タイムだった。悪路に揺られたあとだったが、おなかがペコペコだったことと、他に食べるものがなかったためか、新幹線で食べる駅弁以上においしく感じられた。

　最大の難関は、ムゲタ川を渡ることだ。川を渡るときは、前の車が川を渡るのを見て深さを予測し、前の車が通った場所にそって慎重に車をすすめる。頭に荷物をのせて膝上までつかって歩いて渡る人もいれば、おんぶしてもらって渡る人もいた。そう、ここは橋のない川なのだ。そして、雨季には通行不能となる。

　セルーに着くまでの最後の村がキサキ村であり、タザラ鉄道（タンザニアとザンビアを結ぶ鉄道）の小さな駅がある。キサキ村で車を止め、新鮮な野菜があれば買う。キサキ村から20分も車を走らせると、いよいよセルー野生動物保護区（小さな木の札があった）に入る。ブッシュを切り開いた道路にはゾウのフンがみられるようになり、道を横切るゾウに遭遇することもある。

　マタンブウェキャンプに3時ごろ到着すると、荷物をおろして家の中をチェックする。わたしが荷物を整理する間、夫は職場に顔を出しに行く。

日が暮れる前に大事な生活用水を確保するため、10本のポリタンクを車の荷台に積んで井戸に水を汲みに行く。夫が灯油コンロを使えるように調整し、灯油ランプを準備してくれる。夕食は、お弁当の残り物とスープですませる。ベッドを準備して、湯を沸かし、バケツ一杯の湯で身体を洗いベッドに入る。

キャンプ内に設置されたジェネレーターにより、夜の2〜3時間だけ裸電球を使えるが、日没までにできるだけ夕食と寝る準備をすませ、家族がみな蚊帳を張ったベッドに入ると、ほっとしたとたんに押し寄せてくる疲れが心地よい。そして、目を閉じると聞こえてくる動物たちの声や風の音に、セルーに来たのだという実感が湧いてくるのだった。

特注ベッド

マタンブウェキャンプは、夜になると家のすぐそばをライオンやハイエナが歩いたり、昼夜問わずゾウが現れたりするようなところだ。そんなところに住んでいて、野生動物に襲われる心配はないのかとよく聞かれたが、夜は出歩かないし、ゾウの姿が見えたら騒がずに静かに家の中に退避すればよい。襲われるような軽率な行動をしない限り、その心配はない。

だからといって、まったく安全！　というわけではない。細心の注意が必要なのは、虫対策だ。タンザニアのほぼ全土でマラリアにかかる心配があるが、マラリアはハマダラ蚊に刺されることで発症するため、蚊に刺されないことがもっとも確実な予防法である。しかし、相手は小さな虫なので、気が付かないうちに刺されてしまうことがあり、100パーセント刺されないようにするのは不可能に近い。一度、2歳になった娘がセルーで高熱を出してしまい、あわててダルエスサラームに戻ったことがある。医療機関が整っていない場所でマラリアを発症するのはとても危険だ。

マタンブウェキャンプの家のテラスで娘を遊ばせていたとき、娘から1メートルほどのところの水タンクのそばに、体長20センチほどもある、巨大なムカデを見つけたときは本当に驚いた。また、サソリが出没するということを知ったときは、さすがにぞっとした。3センチほどの小型のサソリだが、大人でも刺されると強烈に痛く、足を刺されると足全体が腫れ上がるということだ。このサソリは、とても狭いところ、たとえば、雑誌の隙間にさえもぐりこめるため、ドアを閉めても侵入を防げない。また、靴の中に隠れていることもあるので、靴を履く前には必ずサソリチェックをしなければならない。実際に、家の中で何度かサソリの死骸を見つけたし、生きたサソリを発見したこともある。サソリを見る機会など、今後ないかもしれないので、しっぽをくるんと持ち上げた独特のサソリの姿をおそるおそる観察したあと、棒で外につまみ出し石でつぶした。

また、現地の人がゾウアブと呼んでいた巨大なアブが、家の前のテラスにやってくることもあった。刺されるとかなり痛いらしい。ダルエスサラームで生まれた生後6か月の息子の子守りをしてくれていたアミータという女の子は、ゾウアブを見つけると、履いていたゴムサンダルを脱いで、アブが床に止まった瞬間に投げつけてつぶしてみせた。それがあまりにおもしろかったので、アブを見つけると、わたしもゴムサンダルを投げつけてつぶすようになった。瞬発力と集中力を要し、けっこう楽しかった。

家の中に野生動物は入ってこないが、蚊やサソリなどの危険な虫から身を守るため、家族みんなで寝ることができる特注ベッドを置くことにした。タンザニアでは通常、ベッドなどの家具は家具屋さんで買うのではなく、大工さんに注文して作ってもらう。夫はキサキ村の大工さんに、縦横2メートルのベッドを作ってもらった。ダルエスサラームにマットレスを作る工場があるので、そのサイズにカットしてもらったマットレスをピックアップに積んで、マタンブウェキャンプまで運んだ。

寝室の真ん中にベッドを設置し、天井の四隅にフックを取り付けて、日本から持参した四畳半用の麻織りの蚊帳を吊るし、蚊帳の裾をマットレスに敷きこむと、ベッドの上は安心して幼い子どもたちと眠ることができる空間となった。それはまるで、野生動物にとっての安全な巣穴のようであった。

レンジャーとジャングル風呂

マタンブウェキャンプは、セルーにある7か所のレンジャーキャンプの中で最大であった。レンジャー部隊は、トヨタ・ランドクルーザー（ランクル）やランドローバーで、2週間の密猟者のパトロールに出る。レンジャーの家族もキャンプ内の住居で生活しているので、小学校と小さなクリニックとキオスクがあり、小さな田舎の村のようであった。

レンジャーたちはライフル銃を携帯し、最低限の食料を持って出かけるのだが、夜は原野での野営であり、武装した密猟者もいる。命がけの仕事なので、パトロールから戻ったレンジャーの目は鋭く充血しており、その迫力に近寄りがたい存在であった。もちろん、彼らもふだんはやさしいタンザニア人だ。レンジャーがキャンプの食材用に仕留めてきた、バッファローやインパラの肉を分けてもらったこともある。

セルーには、カバやワニが生息するタガララ湖の近くに、温泉が出る場所がある。段差がある丘を、湧き出た温泉水が流れており、もっとも温水が溜まっているところは、深さが2メートルほどもある。キサキ村の近くにも温泉が出る場所があるが、ここは、流れ出した温水がちょうどよい温度になっており、日本人にはたまらない天然の温泉だ。

しかし、この温泉は、うっそうと樹木が生い茂った岩場に囲まれた場所にあって、リアルジャングル風呂であった。この温泉に入るには、近くに車を止めて歩いて行くので、ライフル銃を持ったレンジャーに見張ってもらう必要がある。友人が遊びに来てくれたときなど、レンジャーに見張りを頼み、温泉に入りに行った。温泉は気持ちいいのだが、風にのって肉食獣らしき臭いが漂ってくることがあり、レンジャーが見張ってくれているとはいえ、スリル満点で、世界の秘境温泉といえるだろう。

重たい水

マタンブウェキャンプは、川（雨季以外は枯れ川となりサンドリバーと呼ばれる）をはさんで、二手に分かれていた。川はキャンプ一帯の一番低いところに位置していて、川のそばに二つの井戸があった。日中は、井戸の近くで女性たちが洗濯している。重たい水を頭にのせて家まで運ぶのは大変なので、井戸のそばで洗濯するのは合理的だ。日中でも、ゾウが足で川底を掘って水を飲みにやってくることがあるが、暗くなると肉食動物が現れる可能性もあるので人がいなくなる。

マタンブウェで一日に必要な生活用水は、だいたい20リットルのポリタンク4本分だったから、80リットルほどだった。夕方、人がいなくなった頃、わたしたちはピックアップにポリタンクを積んで、井戸へ水を汲みに行った。夫は井戸のポンプを押して、20リットルのポリタンクを次々に満タンにしていく。その間、わたしは見張り役として、動物の姿が見えたら、すぐにクラクションを鳴らして追い払おうと、あたりに注意を払っていた。タンクがすべて満タンになると、荷台に積み込み家に戻る。

飲料水用にミネラルウォーターを持参していたが、洗濯、食器洗い、洗面、沐浴など、その他の生活用水は、すべてこの井戸水に頼っていた。寝る前に、バケツに水を入れ、灯油コンロで沸かしたお湯を足し、バケツのお湯で身体を洗う。一人15リットルバケツ一杯（子どもにはベビーバスを使っていた）で、髪と身体を洗う技術が身についた。

わたしは髪を洗うためのお湯がもったいないので、暑い日中に外で髪を洗うことにしていた。水を使うと涼しくなるし、あっという間に髪も乾く。映画『アウト・オブ・アフリカ（邦題・愛と哀しみの果て）』のなかで、メリル・ストリープがロバート・レッドフォードに髪を洗ってもらうロマンチックなシーンがある。一度くらい、あんなふうに、夫に髪を洗ってもらえばよかったのかもしれない。

熱い風

生活のほぼすべてを電気に依存している日本にいると、電気を断たれたときのインパクトの強さを想像してぞっとすることがある。

タンザニアは当時でも、ダルエスサラームなどの都市や町では、地区によっては電気も水道も整備されていたが、停電や断水は日常茶飯事だった。ダルエスサラームの家では、肉や魚や日本から持参した食材を保存するため、大人がすっぽり入るほど大きな冷凍庫を使っていたが、停電の間は温度の上昇を防ぐため冷凍庫を開けられない。停電が長引くと、冷凍庫内の温度が上がり食材が傷み始めるため、停電がいつ終わるのかと、冷凍庫の扉をいつ開けるのかというタイミングの問題に悩まされた。一般のタンザニア人の家庭には、電気があっても主に照明のためのものなので、停電のときはランプを使えば問題ない。便利ではあったものの、冷凍庫がなければ、どれほど停電によるストレスが少なかっただろうか。

日中のセルーは暑かった。いや、熱かったというほうがふさわしい。吹いている風は、ドライヤーの熱風のようであった。電気がないから、エアコンはもちろん扇風機も使えない。日差しと熱風を避けて家の中に入ると、湿度が低いのでなんとかしのぐことができた。熱中症という言葉は、その当時はそれほど認知されていなかったが、絶えず喉の渇きを感じて水を飲んでいた。

強烈な日差しと乾ききった熱風は過酷であったが、夜は窓を開けて、子どもが寝つくまで蚊帳の中でうちわで風を送ると朝まで眠れたものだ。しかし、停電のためエアコンが使えないという状況であったなら、暑さに耐えられなかったかもしれない。もともとないというほうが、心穏やかに過ごせて悪くないのかもしれない。

雨季と乾季がくっきりと分かれていて、ムゲタ川の水位が上がるため、雨季のセルーに行ったことはない。セルーの記憶は、乾季の強烈な日差しと熱風とともにある。

灼熱の太陽の日差しは、あらゆるものを乾かし殺菌してくれる気がした。生き物の排泄物も死骸も、悪臭や腐敗臭がする前にからからに乾かしてくれる。

日中サファリに出ても、暑い昼間に活動する動物はほとんどいない。川辺や洞穴、茂み、木陰などで暑さをしのいでいる。熱病にかかったようなあの暑さもまた、セルーの魅力（魔力？）といえるかもしれない。

楽しい洗濯

マタンブウェキャンプには、レンジャー、教員、整備スタッフ、クリニックの医師とその家族あわせて300人ほどが住んでいた。夫の職場である車両整備工場は、わたしたちの住居から道をはさんですぐのところにあり、整備工場の前には、10人の子どもが手をつないで囲んでも足りないほど、大きなバオバブの木があった。バオバブは15センチほどの白く美しい花を咲かせるのだが、バオバブの木が巨大過ぎて、高みにある花を下から見上げることしかできなかった。白いバオバブの実は、ラムネ菓子を思わせるさわやかで甘酸っぱ

い味がする。そのまま食べることもできるが、赤い染料と砂糖をまぶして売られているバオバブの実は、タンザニアの子どもたちが大好きなおやつだ。

チャイ（紅茶）とチーズとクラッカーの朝食を終えて、夫が整備工場に出かけると、洗濯タイムが始まる。電気も水道もなかったセルーで、幼かった娘と一緒に、冷たい水の感触を楽しみながら洗濯をした。テラスに水を張った三つのたらいを並べると、最初のたらいには洗剤を入れ、汚れの少ないものから順に洗って絞り、次のたらいに放り込む。よくすすいで絞ると、次のたらいでもう一度すすいで絞ったあとロープに干す。強烈な日差しが手絞りのため水が滴る衣類をあっという間に乾かしてくれる。ハンカチや下着など小さなものは、娘がすすぎを担当した。といっても、水の中でパチャパチャと洗濯物を泳がせたり持ち上げたりと、娘にとっては楽しい水遊びだった。

暑さのなかでの水の冷たさ、労働（というほどでもないが）による心地よい疲れ、残り水でテラスを掃除したあとのすっきり感など、大きな満足感を感じられた。

幼いころ、父の田舎に遊びに行ったとき、祖母が川で洗濯するのを手伝ったことを覚えている。洗濯板と洗濯石鹸を使っていたのだが、わたしにとっては楽しい遊びだった。環境の問題があるだろうが、井戸水や川の水を使って洗濯することは、水の出どころと使用後の水の流れまでわかるのがいい。

洗濯機は、手洗いで費やす労働と時間を大きく節約してくれるのだが、そこに楽しさはない。

とはいえ、湿度が高く冬は水が冷たい日本では、すべてを手洗いする気にはなれないのだが。

理想のキッチン

電気もガスも水道もないという環境は、タンザニアの田舎ではごく普通のことだった。そのため、ライフラインの点では、マタンブウェキャンプが特に不便というわけではない。

ダルエスサラームの家では、調理にガスや電気のコンロを使っていたが、ここでは、灯油のコンロを使用していた。中国製のコンロだが、とてもよくできている。コンロの下の部分は灯油を入れる容器になっており、蓋の部分には綿紐を通す穴が10個ほど空いていて、綿紐の下の部分は灯油に浸されている。浸透圧で灯油が綿紐を伝って五徳に上り、そこにマッチで火をつける仕組みだ。綿紐の長さを調整するツマミがついていて、火力を調節できるため、単純な仕組みだが優れた道具だ。綿紐は使うと燃えて短くなっていくのだが、交換用の綿紐が安価で売られていた。

調理する場所は窓がある半畳ほどの部屋で、コンクリートを打っただけの床に灯油コンロを直に置いて使う。角材に座って床で調理するのだが、慣れると悪くない。ただ、娘がいいにおいにつられて近づいてくるので、火傷をさせないように気をつけていた。

このキッチンの良さは、なんといっても掃除が楽だということだ。コンクリートの床なので、油がはねても汚れても気にならない。調理後はさっと掃き掃除するだけでいい。灯油コンロの煤で壁が真っ黒になるのだが、味気ないコンクリート壁が煤でよい感じになっていた。コンロの油汚れ落としも換気扇掃除も、そのための洗剤も必要ない。だからといってまったく不潔感はなかった。

小さいころ、祖母がかまどで煮炊きしているのを見るのが大好きだった。土間の台所で、かまどで薪を燃やすため、壁も天井も柱も煤で黒光りしていて、日々の営みの積み重ねとぬくもりを感じさせた。セルーのキッチンで調理していると、そんな昔のことが思い出された。

おいしいパン

マタンブウェキャンプには小さなキオスクがあったものの、ランプやコンロに必要な灯油、米、ウガリ（トウモロコシの粉で作るタンザニア人の主食）の粉、マッチ、電池、砂糖、塩、飲み物（ビールやソーダ）など、売られていたものは限られていた。

約2週間の滞在中に必要な食料をダルエスサラームから持参するのだが、冷蔵庫がないためパンは2日ほどしかもたない。そこでパンが大好きなわたしは、娘に食べさせたかったこともあり、パン作りに挑戦した。

タンザニア人のハレの日の食べ物であるピラウ（牛肉入りの香辛料のきいた炊き込みご飯）

をタンザニア人の友人の家で一緒に作ったときのこと。スフリアというアルミ鍋を三つの石にのせ、薪で調理するのだが、下からの熱だけでは全体に熱がまわらないので、鍋が沸騰した後は、赤々と燃えている炭を鍋のふた（アルミの盆）の上に置いて、下はおき火だけに火力を落とし、オーブンのように加熱していた。パンもこのようにすれば、うまく焼けるのではないか。

小麦粉に砂糖やイーストを加え、こねて発酵させた後、8個に分けて丸めたものを、マーガリンを塗った鍋に並べる。ふたをして再発酵させ、十分膨らんだら、ごく弱火の灯油コンロにかける。鍋のふたの上に火をつけた炭を乗せ、上から加熱して20分ほど待った。

パンのよい香りが漂ってきた。わくわくしている娘の前で鍋のふたを取ると、表面に焼き色のついたふっくらとしたパンが出来上がっていた。そのパンは、わたしの記憶の中で最高においしいパンであり続けている。

選択肢のない献立

羽釜を使って、お昼に夕食の分まで多めにご飯を炊いていた。ご飯を炊く間は、沸騰するときのブクブク、水分がなくなってくるころのチリチリという音に耳をすませ、火力を調節し、炊きあがっていく香りを確認するなど、羽釜のそばを離れなかった。何度か失敗したが、羽釜に慣れると、おいしいおこげのある完璧なご飯が炊けるようになった。

タンザニア米、特にモロゴロの新米は香りがよく、日本米がなくて困ることはなかった。おかずは、缶詰肉や豆を使ったカレー、タンザニア風の玉ねぎとトマトベースの野菜煮込みがほとんどだったが、食材が限られていたので、食事の準備が一番大変だった。

おかしなもので、帰国してからも、一番の悩みは日々の食事づくりだ。こんなになんでも売られていて、手に入らないものを探すほうが難しいのに、である。自分だけかと思ったが、料理を担当する多くの女性たちも、毎日の献立を考えることがストレスになっているとわかって、安堵したのだった。

むしろ、非常に限られた食材で何かしらの料理を作っていたときのほうが、選択肢が少なかった分、ストレスも少なかった。あまりにも選択肢がありすぎると、選ぶとか迷うとか決めるとか、精神的負担が大きすぎるのかもしれない。

限られた食材しかない場合、選択するのではなく、工夫しなければならない。そして、工夫することには想像力が必要だが、そこには楽しさがある。

今では、あれが食べたいなあと思ったら、ネット検索することもある。材料や作り方がすべてわかるし、動画まで用意されているのに、今晩の夕食はどうしようかと、あいかわらず悩んでいる。

オクラの天ぷら

生鮮食料品が底をついていた土曜日の朝、キサキ村に買い出しに行くのだが、一番のお目当てはオクラだった。

露店の質素な板の台の上に並べられた野菜の種類はとても少なく、小さな玉ねぎのほかには、たまに貧弱なキャベツやニンジンがわずかにあるくらいだった。日持ちがする玉ねぎやジャガイモは十分にダルエスサラームから持参していた。ニンジンは一本ずつ新聞紙にくるむと、乾燥を防ぎ水分でひんやりするため、冷蔵庫がなくても10日間くらいは大丈夫だった。キャベツも新聞紙にくるんで持っていき、外側の葉っぱから使っていけば、1週間以上使うことができた。卵は1個ずつ新聞紙にくるんでおくと2週間ほどもった。

キサキ村でのつつましい買い物は、持参した食料が乏しくなるなか、わくわくするような週末のイベントであり、キサキ村への買い出しほど、買い物に対して高揚感を持ったことはない。

オクラはアフリカ原産で、スワヒリ語ではバミアと呼ばれ、玉ねぎとトマトやココナッツミルクで煮込んだものは、ご飯やウガリにぴったりのおかずになる。さすがアフリカ原産の野菜だ。産毛がきらきらと輝いて、エネルギーに満ちていて、ほかのくたびれた野菜と比べ、鮮やかな緑のオクラの存在感は際立っており、全部買い占めたいくらいだ。

10本ほどのオクラを積んだ山が、20ほどあっただろうか。15センチ以上はある立派なオクラは、外国人であるわたしたちにとっては、驚くほど安い値段で売られている。わたしは、すべて買いたいところだったが、5山だけ買うことにした。あとでオクラは補充されるかもしれないが、ほかに買いたい人もいるだろうし、お金さえ払えば買い占めてもよいというわけにはいかない。

高くて買うのをためらったことはあっても、独り占めすることへの罪悪感から買うのをためらった経験は初めてだった。やせた土地にある小さな村で、丁寧に積み上げられたわずかな野菜を買うことは、ちょっとした勇気を必要とした。小さな村に、車で乗りつけて買い物するわたしたちの姿は、村の人々にどう映っていたのだろう。

わたしは、バツの悪いような申し訳ないような気持ちで買い物をすませると、久しぶりに手に入った新鮮なオクラで、とても丁寧に天ぷらを作った。そして、夫と娘はとびきりの笑顔を見せてくれた。

ホロホロチョウ

ダルエスサラームの土産物屋には、マコンデ（黒檀の木彫り）、さまざまなデザインがプリントされた布やビーズ細工などが並べられているが、なかでもひときわ目を引くのが「ティンガティンガ」という独特の画風を持つ現代アートだ。「ティンガティンガ」はエナメルペンキで描かれ、主に動物をモチーフにした、ちょっとユーモラスでカラフルな楽しい絵だ。「ティンガティンガ」でよく描かれている動物の一つが、ホロホロチョウである。

白い斑点のある黒い羽毛に包まれたふっくらとした体に対して、頭部には羽がなく、くちばしの付け根の赤、目の下の白い縁取り、頰から顎にかけての鮮やかな青と、洗練された配色が美しい鳥だ。珍しい鳥ではなく、人々に身近な鳥でもあるため、ティンガティンガの中で、生き生きと美しく描かれている。わたしたちは、サファリの途中、何度もホロホロチョウの群れに出会い、その美しさに感動しカメラを向けたものだ。

しかし、マタンブウェキャンプで缶詰肉の生活が続くと、新鮮な肉が恋しくなってくる。ホロホロチョウは、フランスでは高級料理としても家庭料理としても用いられるほど、食

用に適したおいしい鳥らしい。そうなると、ふっくらとしたホロホロチョウは、もはや美しい羽に覆われた鶏肉にしか見えなくなってきた。そのうち、シマウマのむっちりとしたおしりは分厚いステーキ、尾っぽをピンと立てて走るイボイノシシの親子を見ても、ウリ坊の丸焼きを想像してしまうようになった。肉目当ての密猟者を責める気持ちにはなれないね、と夫と話した。

ホロホロチョウはかなりのスピードで走ることができるため、車で追いかけてもなかなか距離が縮まらない。夫がアクセルを踏み込んで、もしやと思った瞬間、ホロホロチョウは飛んで逃げた。短距離であれば飛べるらしい。もちろん夫は本気でぶつけようとしたわけではないが、たまたま飛ぶことが苦手なホロホロチョウがいて、車で轢いてしまったとしたら、おいしい肉にありつくどころか、美しい羽がぐしゃりとつぶれた無残な姿を一生忘れることができないでいただろう。

キサキのニワトリ

缶詰め肉に飽きて、どうしても新鮮な肉が食べたくなり、週末のキサキ村での買い物で肉を探した。売られている肉のチョイスは少なく、素揚げしたニワトリの肉(地鶏の素揚げは絶品)、または生のヤギの足(ももから下の部分)のどちらかだった。だが、そのどちらもなかったのでがっかりした。

　そこで、村の人に、ニワトリの肉を買いたい旨を伝えると、ちょっと待ってくれと言っていなくなった。すると間もなく、けたたましいニワトリの鳴き声が聞こえてきた。飼っていた雄鶏をつかまえようと、何人かで手分けして追いかけていたのだった。その様子を見て、今日は肉をあきらめて立ち去ろうと思っていると、敏捷な雄鶏を5分足らずでつかまえ、しっかりと足をしばって持ってきてくれた。

　以前、夫は、生きたアヒルを買ってきたことがある。わたしが調理する前に、夫はナイフで首を切ったあと、アヒルを熱湯につけて羽をむしるという下処理をしなければならなかった。生きたニワトリを持ち帰り、この一連の作業をやるくらいなら、肉をあきらめようと思ったが、夫は立派な雄鶏を受け取り、笑顔で代金を支払った。

　家に帰ると、夫が雄鶏を処理し、ぶつ切りの鶏肉にしてくれたのだが、それでも気分は晴れなかった。オクラを買う以上に、村の人たちの大事な財産である雄鶏を買うことには、申し訳ない気持ちがともなった。それでも、ぶつ切りになったニワトリに塩とニンニクをすり込んで、炭火で焼いて食べるころには、心の葛藤はいつの間にかすっかりなくなっていた。

冷たいビール

タンザニアのレストランやバーでは、ビールを注文すると、「モト」か「バリディ」（ホットかコールド）か、と聞かれることがある。ホットといっても、冷蔵庫で冷やしていない常温のビールのことで、温めるわけではない。冷たいビールは味が薄まるとか身体が冷えるという理由で、常温のビールを好む人も多い。日本人で常温のビールを好む人はまずいないだろうし、氷で冷やすとかグラスを凍らせるとか、冷たければ冷たいほどおいしく思える飲み物だ。

冷蔵庫がなかったセルーでは、ビールを冷やすことができない。日中は気温が40度近い暑さのなか、どうやってビールを冷やすか、いろいろ工夫してみた。

バケツの水にしばらくつけておいたが、水がぬるいのであまり冷えなかった。そこで、水を張ったアルミの盆に、トイレットペーパーを巻き付けた缶ビールをのせ、夕方涼しくなったころ、風通しのよい場所に置いてみた。すると、浸透圧で濡れたトイレットペーパーが風を受け、気化熱によって冷たいとまではいかないが、生ぬるくない程度にはビールを冷やすことができた。

これは酒好きの夫が思いついた方法で、仕事から戻ると楽しそうに缶ビールにトイレットペーパーを巻き付けていた。一日の終わり、夕日を浴びながらテラスで飲む「冷たいビール」は格別だったが、もう少しスマートな冷やし方ができなかったものか。

セルーのトイレ

ウォシュレットは、もはやついているのが標準となっているほど、トイレ先進国の日本。タンザニアのトイレ事情と聞くと、不衛生とかマイナスイメージを持たれるかもしれない。だが、これまで使用したなかで、とても清潔だと感じたトイレの一つは、マタンブウェキャンプのトイレだ。

タンザニアでは伝統的に、トイレは家の中ではなく、家からちょっと離れた場所にある。トイレの構造としては、便器はなく、丸い穴があいていて、その周りはセメントで固められた踏み台になっている。汚水槽としての穴は、２メートルほどの深さに掘られていて、地下浸透式となっている。大きな穴は手掘りで、深くなると穴に入って土を掘り出すのだが、最初に大きな穴を掘っておけば、相当長い間使用できるそうだ。

汚水槽の真上の穴にまたがって用を足すと聞くと、どんなに臭いだろうと思われるだろうが、臭く感じたことは一度もなかった。新しく作られたばかりのトイレは臭うらしいが、数か月すると微生物が排泄物を分解するため、臭わなくなるらしい。

穴の周りは、足台としてセメントで固められているが、水をまいたり、草をまとめて作ったほうきで、さっと掃いたりするだけできれいになる。これは気温が高く乾燥しているからこそ可能なのであって、日本では難しいだろう。

水洗トイレは清潔なようで、掃除を怠るとたちまち汚れるし悪臭がしてしまう。掃除するには、ブラシや洗剤が必要で、ドラッグストアに並んでいるトイレ関連の商品は数えきれないほどだ。きれいに保つのに、草木をまとめたほうきと水だけですむシンプルさに比べ、ウォシュレットのノズル掃除用のブラシまであるという複雑さ。進化の陰には、不便さや煩雑さが潜んでおり、メリットとデメリットのつり合いがとれる範囲で進化を止めてもよさそうだ。

セルーのトイレは、このように快適に使うことができたのだが、問題があった。一つは、夜は動物が怖くてトイレに行けないということだ。寝る前の水分は控えて、夜中にトイレに起きないように気をつけていた。もう一つの問題は、幼い子どもに、穴一つのトイレを使わせるのは危険だということだ。これは、タンザニア人の子どもたちと同じように、庭のすみで用を足させることで解決できた。

ある朝、わたしがトイレを使っているときのこと。パキーンという乾いた木の折れる音が聞こえた。そして、バキッというもっと太い枝が折れる音が続いた。

すぐそばにゾウがいるのがわかった。窓のない

トイレ小屋の中からは、ゾウの気配はしても姿は見えない。息をこらして、ゾウの気配がすっかりなくなるのを待って、恐る恐る木板の戸をそっと開けて、ゾウの姿が見えないのを確認すると、ダッシュで家に戻った。

わたしたちが住んでいた家の前がゾウの通り道になっていたので、昼夜を問わず目の前に現れるゾウに何度も肝を冷やした経験も、マタンブウェキャンプでの生活の醍醐味の一つだった。

タンザニアの花鳥風月

ゆったりとした時間の流れと果てしなく広がる空と大地は、最大のアフリカの魅力だろう。手つかずの自然のなかで本物のぜいたくな経験をしてしまうと、人工的に作り出された「ぜいたくなもの」には、心がときめかなくなってしまう。

アフリカの空はまるで大きなキャンバスのように、色彩豊かでダイナミックな絵が描かれる。特に朝焼けや夕暮れの美しさは息をのむほどだが、輝きや色彩はひとときもとどまることなく変化し続けるため、見飽きることがない。この美しさは、形のない一瞬の輝きであり、誰のものでもないし、誰も手に入れることができない。夜空の美しい月や無数の星は、誰も盗むことができない宝物のようだ。

雨季には大地も木々も緑で覆われ、花々が一斉に咲き、乾季の茶色一色の景色であっても、宝石のように美しい鳥たちが彩りをそえている。タンザニアの美しさは、財力で作り出すことも、所有することもできない。言い換えれば、誰もが平等に享受できる共有の財産といえるだろう。

　タンザニアの人々の、かざらない表情と澄んだ瞳、泰然自若とした人がらや優雅なたたずまいは、所有する必要もなければ盗まれる心配もない、豊かな「花鳥風月」の世界に生きているからではないだろうか。

2　サファリ

キャンプサファリ

日本で外来語として定着した「サファリ」という言葉は、スワヒリ語で「旅」全般を意味し、サファリカーで野生動物を見に行くことだけを意味するものではない。

野生動物を見に行く「サファリ」は、タンザニア滞在中の楽しみの一つだった。国立公園内には、バス・トイレ付きの清潔な部屋と、おいしい料理や冷たい飲み物を楽しむことができるレストランが完備され、自然の地形を活かした、魅力的なアフリカンテイストのロッジがある。なかには、1泊10万円以上もする高級なロッジもあるそうだ。

わたしたちも、何度かロッジに宿泊したことがある。しかし、部屋を整えてもらい、テーブルについて食事が運ばれてくるのを待つよりも、テントを張り、食事の準備など自分たちですべてを完結できるキャンプのほうが楽しかった。

ほとんどの国立公園にはキャンプサイトがある。キャンプサイトとは、テントの設営を許可されたエリアで、水タンクとトイレがあるが、柵などで囲まれているわけではない。つまり、いつでも野生動物に遭遇するチャンス（危険性）があるわけで、それが醍醐味の一つともいえる。

セルーにいたとき、野生動物がテントを襲うことはないと、レンジャーから聞いた。動物にとって、テントは岩と同じ大きな物体でしかないとのことで、その言葉を信じることにしていた。

キャンプサイトには、石やブロックで丸く囲った焚き火コーナーがあり、一晩中燃え続けるであろう、太いところでは直径20センチ、長さ2メートルほどの焚き火用の木が数本、切り倒された状態のまま置かれている。知らない人は、それが薪であることに気がつかないかもしれない。大変硬い木であり、燃え始めるまで時間がかかるが、よほどしっかり乾燥してぎゅっと細胞がつまっているのだろう。じっくりと明け方まで燃え続けてくれる、頼りになるありがたい存在だ。

重い薪を引きずってきて、先端が焚き火コーナーの真ん中にくるように何本か置いて、中央の隙間に枯れ枝を積み上げる。燃えやすそうな小さな枯れ枝を集めるのは娘と息子の仕事で、張り切って枯れ枝（ミニミニ薪さんと呼んでいた）を探してきてくれた。

午後のサファリから戻ると、暗くなる前にまず焚き火を起こす。新聞紙に火をつけて、枯れ枝の中に突っ込むと、パチパチと気持ちのよい音を立てて燃え上がり、積み重ねた大きな薪が少しずつ燃え始める。食事のあと、焚き火の周りに椅子を持ち寄り、夫とわたしはワインを飲みながら、赤々と燃える炎と、子どもたちが竹串に刺したマシュマロを焦がさないように慎重に焼いているのを眺めている。

地平線に太陽がドスンと落ちるように沈み、たちまち闇に包まれると世界は昼から夜へと一転する。夜の生き物が途端に騒がしくなり、昼の生き物は息をひそめる。サバンナの夜の始まりを告げるように、ブッシュベイビーがキィーキィーと甲高い声を上げる。かわいい動物だが、闇の中で不気味に響く声に、そろそろテントに入ろうかなという気持ちにさせられる。

焚き火が朝まで燃え続けるように、薪を注意深く移動させる。焚き火の真の目的は、暖をとるためでもマシュマロを焼くためでもなく、野生動物を寄せ付けないためのものなのだ。

ミクミ国立公園

モロゴロに住むようになってから、車で1時間ほどのところにあるミクミ国立公園をしばしば訪れた。公園の中に入るための入園料を支払うゲートがあるが、柵で囲われているわけではないので、国立公園を通る幹線道路からも、野生動物を見ることができる。野生動物が道路に飛び出すことがあるため車は徐行しなければならないが、入園料を支払わずに野生動物を見ることができるチャンスでもある。

ミクミ国立公園に日帰りサファリに出かけたとき、キャンプサイトの標識を見かけたので、どんなところか見に行った。一つは、川の近くのブッシュに囲まれたところにあり、ファミリーキャンプをするわたしたちにはハードすぎるロケーションだった。外国人には銃を持っている人も多いが、こんなところでキャンプするには、銃を持ってくるか、レンジャーに付き添いをお願いするしかないだろう。

次に見に行ったキャンプサイトは、低木のブッシュがあるけれど、開けた場所だったし、車を止める位置とテントを張る位置を工夫すれば安全を確保できそうだ。車で1時間の距離だし、キャンプ用品はそろっているから、予定のない週末にミクミ国立公園でキャンプをすることにした。

キャンプサイトでは、必ず焚き火をする。昼間は明るく見通しがよくても、夜になるとランプの明かり以外何もなく、ライオンやヒョウなどの肉食動物が近くにいても気がつかない。一晩中、焚き火を燃やし続けて、動物が近づくのを防ぐことしかできない。この焚き火で調理できるように、夫が溶接屋に注文し、鉄筋で20センチほどの脚のついた炭火焼き台を作ってもらった。溶接屋に行けば、太さの違う鉄筋や鉄板があるので、ほとんど何でも作ってもらえる。

キャンプの夕食には、この炭火焼き台を使ってヤギの足を焼くことに決めた。セルーにいたころ、キサキ村の露店につるしてあったヤギの足を買ったことがある。足先にはまだ毛が残っていて、まさに足そのもので生々しかったが、これを豪快に焼いてナイフでそぎ落として食べたことを思い出した。また、モロゴロのレストランで炭火焼にしたヤギの肉を食べたことがあるが、臭みがなくて、適度に脂身があり、牛肉よりもおいしかった。

ミクミ国立公園に向かう途中、マサイの村の近くで、ヤギの足を買うことができた。だが、車内に入れると生臭くなりそうだし、夕食までの間に肉が傷むのが心配だ。そこで、ヤギの足が肉食獣を呼び寄せそうな気がしたけれど、風通しをよくするため、ランクルのルーフキャリアにのせて、ひもで縛り付けて、サファリに出かけた。

日没前にキャンプサイトに戻り、さっそく夕飯の準備にとりかかる。こんなところでも、わたしはお釜でご飯を炊き（日本人を実感する行為）、夫は焚き火を起こす。子どもたちは慣れたもので、火がつきやすそうな小枝をそこここから集めてくる。

勢いよく焚き火が燃え始めると、安堵感とサファリの疲れから、みな椅子に腰かけ黙って炎を見つめている。30～40分で火は落ち着き、やっと肉を焼くことができそうだ。塩コショウした肉を炭火焼き網台にのせると、みんなの視線は肉に集中している。お腹を空かせて、焼き上がる肉を待つ時間もなかなかよい。

表面の焼けたところから、夫が器用にナイフで肉をそぎ落としてお皿にのせてくれる。そぎ落とすと、また焼き台に戻すので、炙ったところを食べ続けられるという贅沢さ！　脂が適度にのっていて、いくらでも食べられるおいしさにワインもすすんだ。

食べることに夢中で、肉食獣への恐怖は吹き飛んでいた。ライオンの急襲を受けることもなく、ヤギ肉を堪能すると、肉の臭いを消すため骨を焚き火に放り込んだ。

風の音

サバンナの夜の魅力の一つは、風の音だ。

夕食の片付けを終え、洗面をすませてテントに入る準備をする。夫とわたしは、日が昇るまで焚き火が燃え続けるように、まるで魔よけの儀式のように、数本の太い薪を慎重に組み合わせる。野生動物を焚き火だけで追い払えると信じていたのだ。

小さく灯したケロシンランプを近くの木の枝に吊るし、テントに入る。日本のキャンプ場でワイワイするような雰囲気はまるでない。いつもは騒がしい子どもたちでさえ、息をひそめて存在感をなくしている。シュラフの中で居心地よい体勢をとろうと、ゴソゴソやる音もほどなくして消え、静寂が訪れる。

漆黒の闇のなかで、聴覚が研ぎ澄まされていくようだ。どんな小さな音や変化もとらえようと、全身が耳になったみたいに。それは警戒心からではなく好奇心がそうさせるのだ。何も見えないのだが、それだけに、静寂を破って時折聞こえてくる音に、想像力をかきたてられる。

重厚で低く短い吠え声が聞こえる。オスライオンがテリトリーをパトロールしているのだろう。不気味だが尻上がりの間延びした吠え声は、いかにもハイエナらしい。何かに驚いて叫ぶ鳥の声。枯れ枝がポキッと折れる音から、大型の動物がブッシュを歩いているのがわかる。神経を高ぶらせるのは、狂気じみたサルの声だ。昼間であればなんでもないが、真夜中に騒ぎ立てられると、落ち着かなくなる。

　そして、再び訪れる静寂のなかで、遠くからざわざわと風がやってくるのがわかる。だんだんと近づいてきた風は、わたしたちのいる頭上をザーッと通り過ぎると、今度はどんどん遠ざかっていく。

　『北風と太陽』という絵本の中で、北風は形のある生き物として描かれている。テントの中で感じる風は、絵本の中で描かれている生き物のようだ。

　遠い国から旅をしているもののように、やってきては通り過ぎていく。どこからやってきてどこへ行くのだろうか。インド洋を渡ってきた貿易風だったのかもしれない。

　夫も子どもたちも熟睡しているなかで、わたしひとり、聞こえてくる音に耳をすます。

　翌朝、子どもたちに、「昨夜は近くでライオンの声が聞こえたね」と言うと、「え、そうだった？」という返事。ライオンの声を聞いていないとは、もったいないなあと思ったが、怖くて眠れなかったなどと言われても困る。夫もどこでも爆睡できる人。夜の音の世界の楽しみは、いつもなら悩ましい不眠症気味のわたしだけの特権だった。

空飛ぶ宝石

サバンナの風景は雨季と乾季とで大きく異なるが、乾ききった赤茶けた大地にアカシアの木やアリ塚が点在するようなイメージだと思う。実際、乾季のサバンナの色は、わずかに緑が残っているだけで、茶色一色といってもよい。

そんな風景のなか、まるで宝石のような輝きを放つのが、多種多様な鳥たちだ。美しい鳥の代表といえば、ライラック・ブレステッド・ローラーだろうか。その名のとおり、胸はライラック色で、赤紫、青、緑、茶色、黒と10色以上の色を持つ、一度見たら忘れられないほど印象的な美しい鳥だ。ほかにも、ない色を探すのが難しいほど色とりどりの鳥たちが、殺風景なサバンナの風景を彩っている。色だけでなく、多様な形、大きさ、生態、鳴き声と、鳥好きの人にはたまらない世界だ。最初は動物にばかり目がいくのだが、何度かサファリを経験するうちに、鳥を探すようになっていた。

はっきりと識別できる特徴を持つ鳥は、一目で名前がわかるのだが、同じように見える黄色い鳥だけでも十種類以上に及ぶため、図鑑から見つけるのは難しい。息子だけは、一瞬見ただけで、その鳥の特徴を把握することができたので、１０００種類以上の鳥が載っている東アフリカの鳥図鑑から、すぐにあたりをつけてページを開き、見たばかりの鳥の名前を調べてくれた。

オフロードを走る揺れる車の中で、外を眺めるよりも図鑑を見ている時間のほうが長かったのではないだろうか。こうして、どんどん鳥や動物についての知識が豊かになり、息子の夢は高校生になるまでずっと、「動物学者になること」であった。

フンコロガシ

動体視力とは、視線を外すことなく、目の前を動くものの動きを追い続けられる視力であるそうだ。

サファリに出ると、助手席でカメラと望遠鏡を抱えたわたしが、後部座席では子どもたちが、最初に動物を見つけようと目を凝らしている。キリン、ゾウ、シマウマ、インパラ、バッファローなど、比較的よく見られる動物を見つけても黙っているか、「あそこの木の下にキリンがいるねー」などとつぶやくだけだ。

あまり見かけることがない動物というのは、絶対数が少ないか、小さいか、隠れ上手か、生息場所が車道から離れているか、夜行性か、ということになるだろう。肉食動物は草食動物に比べると、圧倒的に数が少ないため（逆はありえないけれど）、ライオンやチーターなどの肉食動物を最初に見つけたとき、「あ、ライオンだ！」と、言う声には、うれしさと誇らしさがあふれている。先を越されると、一瞬悔しさがよぎるけれど、ライオンを見たとたんにテンションが上がり、誰が最初に見つけたかなど、どうでもよくなる。

わたしは、ぼうっとしているように見せかけて、「ママすごいね！」と言われたくて、視界に入る動物は見逃すまいと目を凝らし続けていた。だが、最初に動物を見つけるどころか、誰かが見つけたとしても、「え、どこどこ？」と、どこにいるかさえすぐにわからないという、情けないありさまだ。

なぜか、ハンドルを握っている夫が、一番動物を見つけるのがうまかった。運転していると動体視力が冴え、意外に動物を見つけやすくなるのかもしれない。

夫が突然車を止めて、バックさせ始めたことがあった。

「フンコロガシがいる」

あの、テレビとか図鑑でしか見たことがないフンコロガシのことだ。丸めたゾウのフンを、後ろ足で運んでいる姿でわかったそうだ。そのときから、夫より先に動物を探そうという気持ちはなくなり、動物探しレースから解放され（競っていたのはわたしだけ？）、のんびりとサファリを楽しむことにした。

ゾウの足音

体重が5〜6トンもあるアフリカゾウが近づいてくるとしたら、ズシンとかドスンとか、地響きのような重たい足音がすると思っていた。しかし、ゾウの足の裏はクッションのように柔らかく、ほとんど足音がしないため、気がついたらすぐ近くにいた！　ということが何度かあった。

肉食動物は夜行性なので、昼間に遭遇する心配はほとんどない。だが、ゾウは違う。日中であろうと、大勢の人がいようと、ゾウはゾウの道をゆく。

モロゴロに住むようになってから、夫の任地だったマタンブウェキャンプを訪れた。小学校のグラウンドで、レンジャーの子どもたちがサッカーをしていたので、息子も仲間に入れてもらった。タンザニアでよく見られるように、ビニールゴミやぼろ布をボール状に丸めて、紐で上手に縛ったものでサッカーをしていた。こうして手作りしたサッカーボールの最大の利点は、棘のある植物の茂みにボールがぶつかってもパンクしないことだろう。なぜかタンザニアには棘のある植物が多い。運悪く棘でパンクしたらそれまでと思い、日本から持参したサッカーボールを使ってもらうことにした。

2チームに分かれて試合をするのだが、ユニフォームもビブスもないのに、誰がどちらのチームなのか、はっきり見分ける方法がある。それは、片方のチームがシャツを脱ぎ、上半身裸になるのだ。息子は、服を着てプレーするチームに加えてもらい、赤土のグラウンドでボールを追いかけて走っていた。いい思い出になるなあと、子どもたちがサッカーをするのを眺めていたら、突然子どもたちがプレーをやめて校舎の陰に走ってきた。

「テンボ、テンボ」という声が聞こえてきた。テンボ（ゾウ）が現れたのだ。

わたしはまったく気が付かなかったのに、サッカーに夢中になっていても、素早くゾウの接近に気が付いて、大人がいなくても安全なところに避難する行動に感心させられた。

ゾウは人を襲うために現れたのではなく、ただ、グラウンドの近くを通りがかっただけだ。ほかの動物なら、人が大勢いるところは避けるだろう。しかし、ゾウは、誰が何をしていようと、自分が行こうとする方向を変えることはない。だから、ゾウの進路を邪魔しないで、立ち去るまでじっとしていれば恐れることはない。とはいえ、たまに気性の荒いゾウがいるかもしれないので、ゾウに遭遇したときは、刺激せずに遠ざかることをおすすめする。

ワイルドドッグ

リカオンとも呼ばれるワイルドドッグは、名前の通りイヌ科の動物だ。アフリカらしい独特の斑紋が美しく、鋭い牙を持ち、群れで狩りをするワイルドドッグは、タンザニアでも絶滅の危機に瀕している。人間が持ち込んだ犬から伝染した狂犬病によって、生息数が激減したといわれている。

戌年生まれのせいか、犬好きの息子は、野生動物の中でも特にワイルドドッグが大好きだった。セルーのサファリに出るたびに、ワイルドドッグの姿を探すのだが、生息数が少ないため、その姿を目にしたのは、8年間でたった3回に過ぎない。

それでもセルーは、ワイルドドッグの生息数が比較的多いため、ワイルドドッグがいそうな（まったく根拠のない感覚で）場所を探して車を走らせるのだが、ほとんど姿を見ることはできなかった。それもそのはず、セルーは、約5万平方キロメートルの広さだが、ワイルドドッグの数は1500から2000匹にすぎず、常に移動している彼らと、車で走る道から見える範囲で出くわす可能性はとても低い。

あるとき、動物に詳しいジンバブエ人の友人が、南アフリカのヨハネスブルグに、ワイルドドッグの繁殖センターがあると教えてくれた。そこで、南アフリカを旅行した際、ヨハネスブルグの郊外にあるその場所を訪れた。そこには、20匹以上のワイルドドッグがいたのだが、ワイルドドッグの姿をした、イヌの一種にしか見えなかった。それでも、はるばるワイルドドッグを求めてやってき

たので、じっくりと観察し、何枚かの写真を撮った。

しかし、セルーのサファリで、ワイルドドッグを追い求めて悪路を走らせ、何の収穫もなくあきらめて帰路についた夕暮れ時、幻のように目の前に現れたワイルドドッグの群れや、丘の上で一瞬だけ姿を現した1匹のワイルドドッグの記憶を塗り替えることはできなかった。ワイルドドッグは、野生動物の中でも、特に、自然のなかで生きる姿を見たい動物である。

ツェツェバエ

セルー野生動物保護区は、セーブルアンテロープやワイルドドッグなどの希少動物のほか、ゾウやライオンなど野生動物の生息数が多いことで知られている。九州と四国を合わせたほどの広大な面積だが、他の国立公園ほど整備されておらずアクセスも悪いため、モロゴロに住んでいた当時も、ホテルの数は少なかった。

セルーは、眠り病を媒介するツェツェバエの存在が人を寄せ付けず、そのおかげで環境が保持されてきたといわれている。というのも、ツェツェバエは野生動物には無害であるが、人や家畜には有害であるため、セルーの自然をツェツェバエが守ってきたともいえる。

セルーでのサファリの強烈な思い出の一つが、ツェツェバエとの戦いである。ツェツェバエは眠り病を媒介するというが、数匹に刺されたくらいでかかるような病気ではないらしい。今思うと、根拠があやしいことでも、都合のよい話は受け入れてしまっていたようだ。

たとえ病気にならないとしても、ツェツェバエに刺されると、蜂に刺されるほどには腫れ上がるうえ、強烈なかゆみが三日以上は続く。動くものに寄ってくるため、車体にしがみついたツェツェバエが、ちょっと車の窓を開けたすきに入ってくると、車内は一気に戦闘モードに入り、みな血眼になってツェツェバエを探すことになる。体長は10ミリほどで、すばしっこく、黒っぽい色のところに止まる習性があるので、シートの下のほうにじっとされると見つけるのは難しい。ちなみに、羽音はまったくせず、飛び方は敏捷だ。

車を止め、ツェツェバエを追い立て、窓に止まった瞬間を狙って雑巾で押さえてブチっとつぶす。身体が硬いので、ハエたたきでたたくやり方ではつぶせない。最初は気持ち悪くていやだったのだが、刺されたくないので無慈悲にとどめを刺すようになった。

子どもたちもツェツェバエ退治がうまくなってきて、車に常備していた専用の軍手を使って上手につぶせるようになった。つぶすとほめられて感謝されるものだから、子どもたちは夢中になってツェツェバエを退治してくれるようになった。わたしは、ツェツェバエの居場所を見つけ、「そこそこ！」などと叫び、退治してくれた子どもを思い切りほめるという役割に徹した。

狭い車内に閉じ込められたまま、悪路を何時間も動物を追って走り続け、暑さと疲れで会話も途絶え、しりとりにも飽きて、げんなりとしていた空気が、一匹のツェツェバエの侵入によって一瞬にして活気づいた。野生動物を守ってきたツェツェバエだが、わたしたち家族の結束にも一役買ってくれたのだった。

道が消えた！

セレンゲティ国立公園は世界遺産となっており、100万頭以上ものヌーの大移動を見られることで有名で、面積は関東平野とほぼ同じ、約1万5000平方キロメートルである。メインロードは未舗装とはいえ、グレーダーでならされているが、動物を追いかけて脇道にそれると、車が通った後の轍をたどって走るしかない。夫は、もともと車両整備が専門であるため、スペアタイヤと工具一式と燃料が積んであれば、どこに行こうと怖いものなし……のはずだった。

その日は、チーターを探して脇道に入って行った。「あっちの方にいるんじゃないか」「いや、こっちの方じゃないか」と、方々に走っていると、道は何度も分岐していて、どこを走っているのかわからなくなってきた。

ドライバーがついたサファリカーではなく、自家用車で国立公園に入るときは、ゲートで入園料を支払うときに、ガイドを雇って車に乗せるのが一般的だ。ガイドと一緒だと道に迷う心配はないし、2・0以上ともいわれる視力で、点のようにしか見えない遠くにいる動物を見つけだし教えてくれる。だが、助手席にガイドを乗せると、後部座席に子どもたちと3人で窮屈だし、セルーに住んでいた経験があるため、いつものように家族だけで国立公園に入った。

脇道がいくつにも分岐しているのは、動物を追うサファリカーか、レンジャーかリサーチャーの車の跡だろう。あまり奥に進むと道に迷いそうだから引き返そうか。そんなタイミングで、突然のスコール。それも、バケツをひっくり返したような土砂降りの雨だ。あっという間に道は川となり、そのうちあたり一面が水浸しで、どこが道なのかさえわからなくなった。

車を走らせるのはあきらめ、雨が止むのを待つことにする。飲料水はたくさん積んであるし、ビスケットなどで一晩はしのげるだろう。でも、水浸しの道で車がスタックして動けなくなったらどうしよう。誰か捜しに来てくれるだろうか。

子どもたちを不安がらせてはならないから、努めて明るくふるまう。

「そのうち雨が止むよ。空が明るくなってきているからね」と言っても、みな無言で降り止まぬ雨と増水していくあたりの景色を見つめている。

そして、突然降り出したスコールは、突然止んだ。もともと地面はひどく乾燥していたため、しばらくすると、水はどんどん引いていった。

水は引いたがぬかるんでしまった道を、ハンドルをとられないように注意して引き返す。セレンゲティのゲート付近にある、コピエと呼ばれる小高い岩場を目指せば、戻る方向がわかるだろう。

夫の運転技術により、ぬかるんだ道をスタックすることなく脱出すると、目印にしていたコピエが見えてきた。

「お腹空いたね」

「うん、早くロッジに戻ろう。夕飯が楽しみだね」

携帯電話がなかった時代、もっともスリルのある経験の一つであった。

外国人観光客

野生動物を求めてサバンナを四輪駆動車で走るサファリ。シマウマ、キリン、インパラなどの草食動物の美しさや敏捷さ。ライオンやヒョウなどの肉食動物の迫力。種類の多さに驚くほどの美しい鳥たち。サバンナ特有のアカシアや灌木、バオバブやアリ塚。地平線に昇る朝日と沈みゆく夕日など、アフリカの壮大さを感じさせてくれる唯一無二の経験である。

タンザニアは、セレンゲティ国立公園やンゴロンゴロ自然保護区など野生動物の宝庫であり、世界中から観光客が訪れるが、宿泊施設の数は限られている。もっと観光に力を入れたら外貨収入が増えるのに、と思っていた。しかし、観光客が多すぎては、悠久の大自然の魅力は損なわれてしまうだろう。ホテルが林立し、サファリカーだらけになると、環境への負荷は大きくなる。観光収入で得られる以上に失われるものは大きい。

タンザニアでサファリをするには、国立公園のゲートで入園料を支払う必要がある。入園料に、乗り入れる車両代やガイドの料金などを加えると、安くはない金額となる。一方、入園料は外国人、タンザニア居住者、タンザニア人の3種類に分けて設定されている。２０２０年のセレンゲティ国立公園の16歳以上の入園料は、外国人が60ドル、タンザニア居住者が30ドル、タンザニア人が1万タンザニアシリング（約４ドル）となっている。それでも、動物を見に来るタンザニア人の姿はほとんど見られなかった。国立公園に行くための車を準備するのは大変だろうし、経済的余裕がある人々は日々の生活で忙しいのかもしれない。

野生動物を見るためにわざわざ航空運賃と高いサファリツアーの料金を支払っても、その価値があると思う外国人がタンザニアの国立公園を訪れるのだ。

何千万人と目標を掲げて、より多くの訪日外国人を呼び込もうと、あの手この手をつくす日本。安さ競争、サービス競争の果てに、環境へのダメージは大きく、受け入れる人々は疲弊してしまうだろう。日本の美しい自然環境を守るためにも、タンザニアのように、高めに外国人価格を設定してもよいのではないだろうか。

たわしとタイガーフィッシュ

ドイツ人やアラブ、インド系タンザニア人の友人家族と、娘のデンマーク人同級生の父親が生態系の調査をしている地域にある、ワミ川でキャンプをすることになった。

川幅は10メートルほどあり、わりと流れが速く、ルアー・フィッシングを楽しめる。男性たちの狙いはタイガーフィッシュを釣りあげることだ。タイガーフィッシュという名前は、そのとき初めて聞いたのだが、鋭い歯を持っていて、かまれると指がちぎれるという恐ろしい魚だ。タイガーフィッシュの中でも、コンゴ川に生息するゴライアスと呼ばれる大型のものは、人をも襲うということである。

子どもたちは餌釣りをしていたが、餌は現地調達で、岩の下や草むらから見つけたカエルである。娘は真剣にカエルを探して捕まえては、男の子たちに餌を提供していた。息子の釣りの成果は、15センチほどのタイガーフィッシュに終わったが、スリルとワクワク感を満喫できた。

流れが緩やかな岩に囲まれた淵では、子どもたちは水遊びを楽しんだ。茶色く濁った川で水浴びをするなんて、日本人なら躊躇するだろうが、美しいドイツ人の友人シモナは、とてもリフレッシングだと言って、水浴びをしていた。

野生動物保護区や国立公園でキャンプするわたしたちを、ワイルドで勇敢だと思ってくれる人もいれば、変人だと思う人もいただろう。だが、モロゴロの外国人のタフさやワイルドさに比べれば、わたしたちは軟弱な日本人でしかなかった。

キャンプの朝、目が覚めて外に出ると、昨夜のディナーで使った食器や鍋が目に入った。わたしたちだけなら、冷凍のカレーを持って行って、ご飯を炊く程度ですませるのだが、ドイツ人の友人夫婦が、大きなガスタンクと、お皿やワイングラスを持参し、肉ありサラダありの豪華なディナーを用意してくれた。何もないキャンプサイトでも、サファリロッジ並みの食事を準備できることに驚嘆し、つくづくすごい人たちだと思った。

せめてお皿くらい洗っておこう。しかし、鍋や食器が油でべたべたしていて、すっきり落ちない。どうしようとあたりを見回すと、茶色いタワシ状のものがゴロゴロと落ちているではないか。「え、タワシ?」というくらいに、タワシそのものの形状だ。これはたぶん、サルが食べた後のボラサス・パームの実であろう。

2~3個拾って、そのタワシを使って鍋をこすってみた。すると、洗剤もなしに気持ちいいくらい汚れがきれいに落ちる。しかも、汚れたタワシを洗う必要もなく、ポイッと投げ捨てて、また新しいタワシを拾って使える。ナイロンのタワシはすぐ油でべたべたするし、まめに買い

替えないと不潔だし、お金もかかるし有害なゴミも出る。こんなタワシがあれば、どれだけお皿洗いが快適になるだろう。

このタワシのおかげで、皿洗いは楽しくなり、ちょうど終わったころ、川で水浴びをしてきたシモナがブロンドの濡れ髪を乾かしながら近づいてきた。

「さすが日本人ね」

ほめ言葉と受け取ってもいいのだろうか。

そして、アラブ系の友人からは、

「働くのはいつもアジア人ね」と、皮肉たっぷりに言われた。

ワミ川でのキャンプの一番の思い出は、タイガーフィッシュではなく、天然激落ち使い捨てタワシとなった。

スパニッシュオムレツ

タンザニア中南部に位置し、２０２０年現在、タンザニアで最大の国立公園である、ルアハ国立公園でキャンプをしたときのこと。前日、途中の村で入手した野菜と持参した自家製卵を使って、朝食にスパニッシュオムレツを作ることにした。

スパニッシュオムレツに入れる玉ねぎとトマトとピーマンを、わたしの指示通りに夫が細かく刻んでくれた。ボウルに卵と野菜を入れてフライパンで焼き、出来上がったオムレツをお皿に移して、さあ食べようとしたときだった。目の前に、突然ゾウの群れが現れたのだ。15頭から20頭はいただろうか。枯れ川をはさんで、30メートルほど離れているとはいえ、こちらに向かってきたら大変だ。

わたしは恐怖で固まってしまったが、夫はゾウを眺めながら次のオムレツを焼いている。オムレツをはさんだパンをほおばりながらゾウを見ている子どもたちに、車に入るように促して、わたしも夫もお皿を手にしたまま、車に乗り込み、そっとドアを閉めた。

ゾウを刺激してはいけない。姿勢を低くし、息をこらすように言ったが、おびえていたのはわたしだけで、夫も子どもたちも平気でオムレツサンドを食べ続けていた。ゾウの群れは、10分か20分ほどで遠ざかっていった。

家族の中で、一番冒険やスリルを求めるのはわたしだが、一番臆病なのもわたしだ。最初から最後まで平静を保っていた夫と子どもたちが普通の感覚の持ち主なのか、よほど度胸があるのか、今でもよくわからない。

最高の年越し

誕生日や何かの記念日より、多くの日本人にとって、年末年始はもっとも特別なイベントではないだろうか。日本から遠く離れた地で、いかにも日本人らしい気持ちになるのが癪だったが、お正月をただの休日と割り切ることはどうしてもできなかった。

タンザニアでは、クリスマスは祝日で、キリスト教徒だけでなく、イスラム教徒の人たちもお祝いする大きなイベントだが、お正月は1日が祝日で休みになるだけで特別な日ではない。クリスマスで散財し騒いだ後、むしろ静かに過ごす感じである。

南半球であるため、12月から1月にかけては一番暑い時期である。日本のテレビは見られないため、紅白歌合戦を見ることもできず（見られたところで時差がある）、年末年始の雰囲気はまったくないので、普通の休日と考えてもよかったのだ。

そばが好きな夫は、年越しそばさえ食べられたら満足なはずだし、子どもたちは、休日の午前中の勉強を特別に免除してもらえるだけでハッピーなはずだ。しかし、わたしだけが、年末年始を思い出に残るような特別なイベントにしようと、12月に入ったころからそわそわしていた。

サダニ国立公園という、海とサファリのどちらも楽しめる海岸に面した国立公園がある。友人に誘ってもらって、一緒に訪れたことがあり、海岸近くにキャンプサイトがあったことを思い出した。そのキャンプサイトで年越しキャンプをすることは、これ以上ない年末の過ごし方のように思われた。

そのキャンプサイトの近くにはエビの養殖場があるので、エビを買ってエビの天ぷらを作れば、豪華な年越しそばを食べることができる。年越しにふさわしいメニューも決まったので、家族にこの年越しプランを伝えると、エビ天そばと聞いて、夫も子どもたちも大賛成だった。

そして、キャンプ当日の大晦日。乾麺のおそばと粉末のつゆと、天ぷら用の油と小麦粉、新鮮な魚が手に入ったとき用にしょうゆとわさびとお米も車に積み込んで出発した。

モロゴロからダルエスサラームに向かう途中、チャリンゼという町からサダニ国立公園のほうへ左折するのだが、チャリンゼはパイナップルの産地であり、露店においしそうなパイナップルが山積みされていた。

以前、夫の任地であったセルーのマタンブウェキャンプでクリスマスパーティーを企画したときには、レンジャーキャンプに住んでいる子どもたちへのプレゼント用に、チャリンゼでパイナップルを１００個買ったことを思い出した。娘が3歳、息子が1歳のときだった。パイナップルの強く甘い香りが漂い、当時の記憶が鮮明によみがえってきた。

パイナップル選びには自信があるわたしは、食べごろになっている小ぶりのパイナップルを4個買った。年越しにふさわしいデザートが用意できた。

キャンプサイトに到着するとテントを張る場所を確認し、キャンプ代を支払って手続きをすませると、すぐにエビの養殖場に車を走らせた。途中には塩田が広がっていて、これは初めて見るタンザニアの風景であった。塩田をゆっくり見学したかったが、明るいうちにテントを張りたいので、エビの養殖場へと急いだ。

養殖場に到着すると、養殖小屋の中にいる人に声をかけて、エビを買いたいと伝えた。すると、絶望的な答えが返ってきた。

「エビはすべて売ってしまって、残っていない」

いやいや、天ぷら用だから、一人2本ずつ8尾あればいいのだ。いや4尾でもよいから売ってほしい。

「残念だね。まったく残ってないよ」

小エビでもいいからと食い下がったのだが、本当にないらしく、あきらめるしかなかった。今思えば、ダルエスサラームのレストランやホテルの祝日メニューとして卸したばかりだったのかもしれない。

大量のエビを入れるための保冷箱も用意して行ったのだが、気持ちを切り替えて夕食の材料を調達しないと、そばだけになってしまう。お腹をすかせて夕食を楽しみにしていた子どもたちの表情も曇っている。急いでキャンプサイトに戻ると、何か釣りあげてダウ船から戻る漁師さんがいないかと、海岸を見渡した。ところが年末だからか、海岸に人の姿はなかった。タイとは言わない、アジでもイワシでもなんでもいいのにと、エビから望みのレベルをどんどん落としているのに……本当に何もないのだろうか。

小さな村の通りを車でまわってみると、夫が魚屋さんらしき店（壁にペンキで魚の絵が描かれていた）を見つけ、最後の望みを託して、何でもいいから魚がないかと聞いた。すると、カニならあるという。

「え、カニ？」

一瞬躊躇したのだが、ほかに選択肢はない。カニを一人2杯とプラスアルファで、10杯買った。保冷箱に、はさみを振り上げてもぞもぞと動くカニを押し込めた。

ダルエスサラームに住んでいたころ、何度かカニを食べたことがある。日本で食べるカニに負けないほどおいしいのだが、カニをゆでる鍋を持ってきていなかったことから、買うことをためらったのだ。

カニとおそばは合わないからご飯にしようとご飯を炊き始めたのだが、カニはどうしたものか。夫が溶接屋で作ってもらった（ミクミでヤギの足を焼いた）炭火焼き台が車に積んである。これで焼くしかないが、焼き台に乗せられたカニが逃げ出したり、手足をバタバタさせて熱さにもがいている様子は見たくない。カニに熱い思いをさせず、痛さや恐怖が一瞬で終わるよう、夫にカニの頭を棒で叩くよう頼んだ。

「えっ？」とたじろいでしまったが、そうする以外ないとすぐに悟った夫は、車載工具からハンマーを取り出すと、気やすめに何かを唱えながらカニの頭の部分を叩いた。

叩かれて絶命または失神しているカニを、すぐに焼き台にのせて焼き始める。茶色と緑の混ざったような色のカニの甲羅はすぐに赤くなり、なんともいえないよいにおいがしてきた。

夫が叩いたカニを焼き台で焼くというのを繰り返し、炭火焼のカニが出来上がった。カニはゆでるよりずっとおいしかったが、「おいしいね」という言葉もなく、みな黙々とカニを食べ続けた。

わたしは、うっすらおこげのある完璧に炊きあがったご飯を確認すると、カニを食べるのをストップして、身をほぐしてとっておくように言った。ご飯の上にほぐしたカニ肉を乗せ、わさび醤油をまぶしてカニご飯にするためだ。カニを食べるのをやめて、今度は熱心にカニ肉をほぐし始めると、お腹が落ち着いてきたこともあり、「この部分はほぐしやすい」とか、「ここを割るといい」だとか、会話する余裕が出てきた。こうして食べたカニご飯の味は格別だった。エビ天そばではなかったが、みな満ち足りた顔をしている。

カニと格闘したあとで手はベタベタしているうえ、カニくささが残っている。思ったより食事が遅くなってしまったし、限られた水しかないので洗い物は少なくしたい。そこで、夫にパイナップルの皮をそぎ落としてもらい、丸ごと茎を持ってかじることにした。いつもは一口大にカットしているパイナップルだが、そのような食べ方に子どもたちのテンションは上がり、パイナップルを片手に踊りだしていた。この年の野蛮とも言える年越しが、今でも、もっとも印象に残っている年越しである。

コーヒーより紅茶

タンザニアにはアフリカ最高峰のキリマンジャロ山があり、キリマンジャロといえば、コーヒーを思い浮かべる人も多いと思う。毎朝、香り高いコーヒーを味わっていた、と言いたいところだが、たまに旅先やレストランでコーヒーを飲む以外、もっぱらチャイ（スワヒリ語で紅茶）を愛飲していた。

スリランカの紅茶はとてもおいしいけれど、タンザニアの紅茶はどうかと聞かれると、即答はできかねる。だが、上着を羽織りたくなるような肌寒い乾季の朝、高地のホテルに泊まった朝やキャンプしたときの朝の思い出は、ちょっと濃い目に入れた紅茶の干し草を思わせる香りをともなっている。

サバンナの夜明け前、漆黒が少しずつ薄らぎ、朝日が昇る直前まで30分足らずのあいだ、明け方の冷たく凛とした空気に包まれた幻想的な景色を見せてくれる。夜行性の動物は眠りにつき、昼行性の動物が活動を始める前の一瞬。生き物が何もいないかのような静寂を感じる。時が止まったようなこの景色を見るために、暗いうちに起きだして、ポットにお湯を入れ、紅茶とビスケットを用意し、眠そうな子どもたちも無理やり起こして車に乗せる。景色のよい場所を探して車を止め、お茶の用意をする。昼間の暑さがうそのようにひんやりしていて、温かい紅茶がおいしい。

なぜかコーヒーを飲みたいと思ったことはなかった。コーヒーを飲むと体が熱くなると、タンザニア人の友人から言われて以来、暑いタンザニアではコーヒーより紅茶がいいと思うようになったのだろうか。

タンザニアでとれる良質のコーヒー豆は輸出用として海外に持ち出され、国内で売られているものは、あまり質の良い豆ではないと聞いたことがある。確かにスーパーで売られているコーヒー豆は、あまりおいしいとは思えなかった。

特別に産地から手に入れたコーヒー豆をもらって飲んだら、とてもおいしかった。キリマンジャロの麓にあるロッジで出された、焙煎したての豆で淹れたコーヒーは、極上の味であった。

おいしいコーヒーは好きだけど、スーパーで売られているコーヒーを飲むよりも、紅茶を飲むほうが間違いないような気がする。また、タンザニアの紅茶は、ブラックでもミルクティーでも、一日に何杯でも飲めた。友人の家に行っても、お菓子とともに出されるのは、いつも紅茶だった。

モロゴロでの朝ごはんは、自家製パンと自家製の卵に、チャイが定番であり、今でも、パンと卵とチャイの朝ごはんの習慣が続いている。大きく違っているのは、ちょっと残念だけど、卵が自家製でなくなったことだ。

3　モロゴロでの日々

再びタンザニアへ

タンザニアの地方都市、モロゴロへの夫の赴任が決まったのは、娘が小学4年生、息子が小学2年生になる直前だった。セルー野生動物保護区での4年間の夫の任期が終わって帰国したとき、娘は4歳で息子は2歳だったため、子どもたちにはほとんどタンザニアの記憶がなかった。

帰国してからずっと、わたしも夫もタンザニアに戻りたいという希望を持ち続けていた。そのため、とうとう夫は安定した仕事を辞め、アルバイトをしながらタンザニアでの仕事探しをしたのだが、チャンスがないまま、あっという間に5年の歳月が経ってしまった。帰国後は千葉市内に住んでいたのだが、成長期の子どもたちのために、自然の豊かな田舎に引っ越そうかと悩んでいたタイミングで、もう一度、家族でタンザニアに戻れることは願ってもない話だった。

わたしの心の奥底で、5年間くすぶり続けていた小さな火が、ぱっと燃え立つようにエネルギーがあふれ出し、即座に赴任準備に取りかかった。2年間の任期に備えて、子どもたちの2年分の夏服と靴、学用品と本、味噌や醤油などの調味料と乾物などの日本食材を買いそろえた。貯金の残高は心細かったが、それまで乗っていた中古のスズキ・エブリィを手放して、夫とわたしの昔からの憧れの車だった、トヨタ・ランドクルーザー70（白）を買い、しばらく日本で乗った後、船便でタンザニアに送る手続きをした。

通っていた小学校を転校し、友だちと会えなくなる子どもたちも、タンザニアに行くことに120パーセント前向きなわたしの勢いに巻き込まれていった。

モロゴロ

夫の任地であるモロゴロの町は、インド洋に面した東海岸に位置するダルエスサラームから、西に向かって200キロほどのところにあり、モロゴロ州の州都である。ダルエスサラームとモロゴロを結ぶ道路は、タンザニアの主要都市のほか、内陸国のザンビアやマラウイなどにも通じている。モロゴロから、首都のドドマへと道路が分岐していることもあり、長距離バスのターミナルがあるなど、交通の要所となっている。

モロゴロは、南北100キロメートル、東西20キロメートルという広大なウルグル山地（最高峰2630メートル）の麓にあり、ウルグル山地には、は虫類や両生類の固有種が生息し、アフリカン・バイオレット（セントポーリア）の原種やベゴニアの固有種が存在する自然豊かな地だ。

ウルグル山麓では、豊かな水と冷涼な気候を利用し、主食のトウモロコシやイネのほか、多くの種類の野菜、果物、スパイスなどの換金作物が栽培されている。特にバナナの栽培が盛んで、かごいっぱいのバナナを頭にのせて山から下りてくる人々の列は、山から市場に続く道の朝の印象的な風景であった。バナナは10房以上がまとまって実るのだが、1房につけるバナナの数が15本とすると、1本の木（実際は草木）に実るバナナは150本になる。バナナ1本が150グラムとしても、合計約23キロにもなる。人々は運べるだけのバナナが入った重たそうなかごを頭にのせ、背筋を真っすぐにして、ゴムサンダル履きですたすたと歩いていた。

モロゴロの町の南側に位置するウルグルの山の中腹には、タンザニアがドイツ領であった20世紀初頭に建てられたドイツ人の住居が残っている。この場所は、モーニングサイドと呼ばれており、たまにダルエスサラームに住んでいる外国人や、海外からの若い旅行者がハイキングをかねて訪れる。標高約900メートルのモーニングサイドまで登ると、モロゴロの町が一望できるし、植民地時代のドイツ人の家を見学して往時をしのぶのも悪くはない。

しかし、観光名所の多い（七つの世界遺産がある）タンザニアでは、モロゴロの町は多くの観光客を惹きつけるほどの魅力はなく、長旅の途中の休憩やバスの乗り換えなどのために、小一時間ほど留まる程度の町だ。わたしたちがダルエスサラームに住んでいたときも、モロゴロは地方に行く途中、お昼を食べて燃料を補給する中継地点でしかなかった。夫の任地であったセルーに向かう時は、モロゴロの手前でウルグル山地に向かって左折していた。後にモロゴロに住むことになるとは、そのころは知る由もなかった。

ランクル

セルーに赴任したときは、日本からスズキ・ジムニーを送り、仕事では業務車のトヨタ・ピックアップを使っていた。当時、夫もわたしも、「いつかはランクル！」と、ランクルは憧れの車だった。

モロゴロでは車の運転は不可欠だ。家のゲートを徒歩で出ることはほとんどないといってもよい。赴任当初はドライバーを雇っていたものの、子どものインターナショナルスクール（インター）の送り迎えのためだけに一日待機してもらうわけにはいかず、必死で練習して、家とインターの往復だけは運転できるようになった。

身長が１５０センチちょっとのわたしがランクルを運転するには、クラッチを踏み込むのに思い切り足を伸ばさなければならなかった。そして、運転が大の苦手なわたしにとって、信号のない混沌としたモロゴロの町中を走るには勇気を要した。距離は短いが、学校の送り迎えには幹線道路を走らなければならず、高速道路ではないが、時速70キロ以上出さないと流れに乗れない。ＰＴＡの用事で、夜インターに行くときは、街灯のない真っ暗な道を、ヘッドライトだけを頼りに走らなければならない。幹線道路を右折すると、インターに続く未舗装道路は穴だらけで、雨季には穴が大きくえぐられるため、深みを避けて慎重にハンドルを切る必要がある。

悪路の運転よりさらに苦手なのが高速での運転だが、一度だけダルエスサラームからモロゴロまで、時速１００キロでランクルを運転したことがある。週末にダルエスサラームに行ったとき、夫が高熱を出したのでクリニックで検査すると、マラリアの陽性反応が出た。マラリア検査をするには、指先に針を刺して血を一滴スライドガラスに取り、顕微鏡でマラリア原虫がいるかどうかを調べる。夫はすぐに抗マラリア薬のクロロキンを飲んだのだが、高熱はひかない。日本人医師の専門家がいるという安心感もあり、モロゴロに戻ることにした。

ダルエスサラームからモロゴロまでの道路脇には、しばしば、横転したバスやトラックがあり、交通事故が多いことから、わたしたちはこの道を「恐怖の道」と呼んでいた。

夫は39度の高熱で運転はできず、助手席でぐったりしている。わたしの運転では生きた心地がしなかっただろうが、速度の遅い

乗用車やトラックを追い越すタイミングなど、要所要所で夫に確認しつつ、必死の思いでモロゴロまで運転した。火事場のバカ力とでもいうのか、追い込まれると、たいていのことはできるものだ。

山道、砂地、砂利道、ぬかるんだ道など、いろんな悪路を走ったが、タンザニアでの4年間、一度もトラブルが起こらなかった。ほぼ全土がオフロードといえるタンザニアで、ダントツの人気なのもうなずける。さすがランクル！

ソコイネ農業大学の家

夫が働いていたプロジェクトオフィスがソコイネ農業大学の中にあったので、赴任した当初は、大学のキャンパス内の教職員用の住居に住むことになった。夫の職場まで近く、キャンパス内に入るには警備員がいるゲートを通らなければならないことから、治安もよいという。コンクリートブロックづくりの簡素な家だったが、住み心地は悪くなかった。庭には、農業大学らしく、珍しい果物の木があった。

モロゴロに到着した時期が雨季だったため、洗濯物が乾かなくて困った。別送した荷物が届くまで、トランクに入れて持ってきた子どもたちの服には限りがある。手洗いで洗うのはいいが、手絞りでは何日かかっても乾かないため、町の電器屋で乾燥機を買った。

ランクルが届くまで、夫が仕事に行く前に借りた車で子どもたちをインターに送り、昼休みに迎えに行ってくれた。その間、車がなければどこにも行けず、わたしは家の中の仕事ということになるのだが、洗濯に掃除、限られた食材での食事づくりをしなければならない。子どもたちは、英語がほとんどわからないままインターに通い始め戸惑っているし、夫も慣れない職場で四苦八苦している様子。

雨が続いていたこともあり、気が滅入りがちだったが、まるで、わたしたちを元気づけようとするかのように、庭にサバンナモンキーが遊びにきてくれた。

この家の庭には、大きなガジュマルの木があって、その時期に実がなっていたからだろうか、多いときでは20匹以上のサバンナモンキーの群れがガジュマルの木にやってきた。赤ちゃんを抱いているのがいたり、遊び盛りの子ザルがいたりして、このガジュマルの木が窓越しによく見える場所にあったことから、まるで動物園が目の前に現れたかのようであった。子どもたちと観察中に、サバンナモンキーが交尾を始めたときは、反応に困って、「結婚している」のだと説明したが、正しい性教育ができたのだろうか。犬はしゃぎしてサバンナモンキーを眺めていたが、そのうちサバンナモンキーがいることが日常の風景となっていた。

ある日、テーブルについて子どもたちとおやつを食べていると、いつの間にか窓枠につかまってサバンナモンキーがこちらを見ているのに気がついた。窓にもドアにも防犯のための鉄格子が取り付けられているため、まるでオリに入っているわたしたちがサバンナモンキーに観察されているようで、一気に立場が逆転してしまった。サバンナモンキーは、テーブルの上のバナナを見ていただけかもしれないのだが、動物園のオリの中の動物たちの気持ちが少しわかるような気がした。

バナナバナナバナナ！

ソコイネ農業大学の家の庭には、マンゴー、パパイヤ、パッションフルーツ、スターフルーツなど、いろいろな果樹が植えられていた。これらのトロピカルフルーツは、日本では高級なフルーツなので感動した。だが、スターフルーツは、形はかわいいが、それほどおいしいものではない。パッションフルーツは、トケイソウ科のつる性植物で、小鳥が落とした種からだろうか、道路脇のブッシュに生えて実がなっていたが、現地の人たちにはあまり好まれていないようであった。香りも味もよいが酸っぱいため、おもに外国人が買ってジューサーにかけ、砂糖を入れて水で割ってジュースにしていた。

マンゴーの木は、町中のいたるところにあって、タンザニア人が大好きなフルーツだ。マンゴーのほか、パイナップルやオレンジも季節になると、町中にその香りが漂う。

フルーツの中でも、年間を通して実をつけるバナナは、タンザニア人にもっとも好まれているフルーツかもしれない。モロゴロに戻ることができたら、一番食べたいフルーツはバナナだ。

マンゴーやパイナップルもおいしかったが、ウルグルの山で栽培されたバナナは、香り高く味が濃厚で何本でも食べられる。毎日食べても飽きないし、栄養もあるため、実際に食事代わりに食べていた。

モロゴロに到着してすぐのころ、何をどこで買ったらよいのかわからず、住環境を整えたり、子どもたちをインターに通わせる手続きや準備などで余裕がなかったため、朝食はビスケットと紅茶だけということもあった。そんなとき、夫が露店や市場で買ってきてくれたバナナが、わが家の食生活を救ってくれた。

バナナが特に好きだったわけではなく、日本ではたまにしか買わなかったが、モロゴロでは飽きずに毎日バナナを食べ続けた。土砂降りの雨、手絞りで乾かない洗濯物、主食のようにバナナを食べ続けていたことが赴任した当初の思い出だ。

後に住んだ家の庭にバナナを植えたことがある。庭師のジャコブが1メートルほどのバナナの苗を持ってきてくれた。バナナの苗を植えるために、50センチほどの深さの穴を掘り、その中に牛糞の肥料を入れて土と混ぜ合わせる。堅い土を掘るのは大変な作業だった。

半年くらい経ってバナナが実ったのだが、1本のバナナ

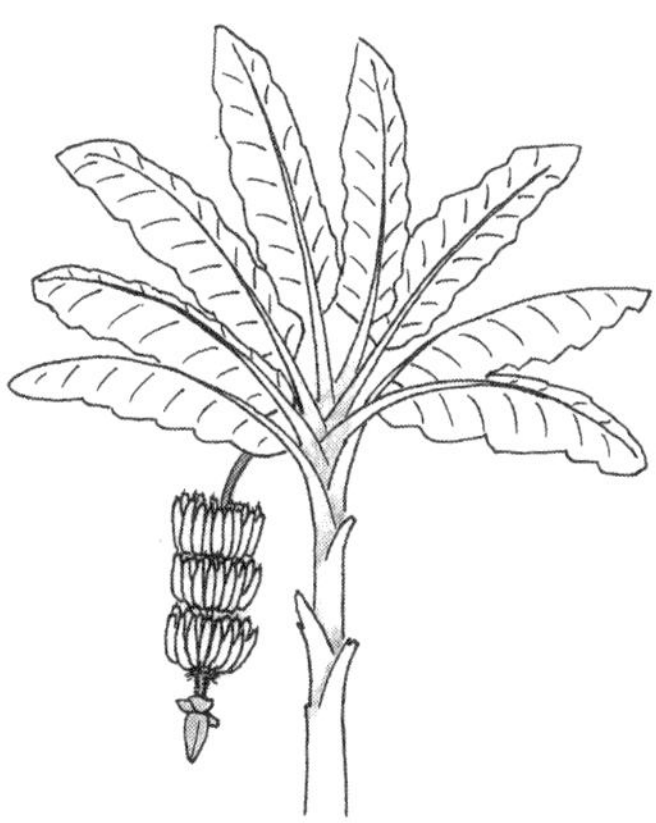

ナの木には1回だけしか実をつけないそうなので、収穫後の木は切りたおし、横から出ている脇芽（ムトト〈スワヒリ語で子ども〉と呼ばれていた）を植えなおす。土の栄養がなくなると、また穴を掘って肥料を混ぜ込み、苗を植えて育てるため、バナナの栽培は重労働だ。南の国では、何もしなくても、お腹がすいたらバナナをもいで食べることができるというのは、空想や絵本のなかだけの話だった。

「ソコ」が市場

スワヒリ語で市場は「ソコ」という。「ソコに市場があります」と覚えれば、もう二度と忘れることはないだろう。イントネーションが違うとはいえ、発音もそのまま、ソコと言えば通じる。

ほかにも、「わたしのミミ（ミミ：わたし）」とか、「ムカシのはさみ（ムカシ：はさみ）」、「ムスメノのこぎり（ムスメノ：のこぎり）」、「ムコノ手（ムコノ：手）」、「火のモト（モト：火、暑い）」、「この水、マジおいしい（マジ：水）」など、数えきれないほど、日本語と同じ単語（同音異義語？）がたくさんあり、日本人にとってスワヒリ語はとても楽しくて親しみやすい言葉だ。

また、ゆっくりはポレポレ、オートバイはピキピキ、ゴミはタカタカ、ニワトリはクク、眠るはララなど、楽しくなるような繰り返し言葉も多く、日本語の擬音語や擬態語に似た響きをもっている。

一口にタンザニア人といっても、部族の数は120以上ともいわれていて、それぞれの部族語があるのだが、初代ニエレレ大統領がスワヒリ語の教育を進めたことから、タンザニア全土でスワヒリ語が通じる。それだけ広くスワヒリ語が普及しているため、日常会話はほとんどスワヒリ語か部族語であり英語が通じないこともある。スワヒリ語を話すと、タンザニア人との距離は一気に縮まるが、話せないと相手にされないこともある。

モロゴロの町の中心にある一番大きな市場では、ゴボウやレンコンなどを除けば、ほとんどの野菜が手に入った。パセリやコリアンダーやミントなどの香味野菜、セロリやルバーブやビーツなどの西洋野菜まで売られていた。ウルグル山地で栽培された新鮮な野菜が手に入ることはとてもありがたかった。

モロゴロはおいしいお米の産地でもあり、ダルエスサラームに住んでいたときも、モロゴロまでお米を買いに来たほどで、おにぎりにしても酢飯にしてもいける。しかし、市場で売られている大きな麻袋に入ったコメは、上の部分がよいコメでも下の部分がくず米ということもある。たとえいい米であっても、もみ殻や小石が混じっているため、ご飯を炊く前に、これを取り除かなくてはならない。明らかに石らしきものはすぐわかるが、コメのかけらそっくりの色と形をしているものもあり、2合分のコメを選別するのにも手間がかかった。レストランで食事中、ご飯に混じっていた小石を思い切り噛んだ夫は、歯の根元にひびが入ってしまい、10年後に抜くことになってしまった。小石が入っているかもしれないときは、ご飯は思い切り噛んではいけない。

この市場に行けば、新鮮な野菜を買うことができるのだが、市場の前の駐車スペースは限られていて、買い物客の車や農産物を輸送するトラックなどで混沌としていた。なんとか空きスペースを見つけると、少年たちが手招きで誘導し、車から降りたとたん、野菜かご（植物で編んだ素朴なバスケット）をわたしの手から取り上げる。

野菜はキロ単位で買うので、ナス、きゅうり、トマト、じゃがいも、玉ねぎ、果物などを買っていくと、すぐに5キロは超える。重いので持ってくれるのはありがたいが、少年たちは学校に行かず、何らかの理由で市場で働き小銭を稼いでいるのだ。それは決してよいことではないが、すぐに現実を変えることはできない。

少年は野菜かごを持つと、特定の売り場に案内しようとする。客を連れて行けば、いくらかもらえるのだろうが、わたしはなじみの野菜売りのおじさんのところに行く。

妥当な値段で売る人と、外国人価格をふっかける人がいる。たまに、相場の数倍の値段で買わされることがあり、くやしい思いをしたことがあるのだが、後になって、あるところからないところにお金が流れるのは悪くないのだと思うようになった。

顔なじみの少年から、釣銭をごまかされたときには、とても腹が立ったが、そのお金でごはんを食べたか、家族に渡したか、何らかの役に立ったはずだ。だますことはよくないとはいえ、腹を立ててしまった自分がとても情けなく思えた。

市場に通ううちに、あいさつを交わす顔見知りが多くなり、楽しいけれど、急いで買い物をすませたいときは困った。インターに子どもを迎えに行く前に市場に寄ったときなど、時間を気にして急いで買い物をすませ、小走りで車に戻ろうとするわたしは、市場の人から笑われていた。

何事につけても、あわてたり取り乱したりする姿は、とても滑稽に見えるようで、いつも泰然としているのがタンザニア人の流儀なのだ。人々の熱気とパワーで満ちた市場での買い物は、いろいろなことを学ばせてくれた。

生産者へのリスペクト

タンザニアの市場や露店では、野菜や果物が一山単位で売られていることが多い。一山ごとに盛られている野菜の中に、たいてい、ちょっと傷んでいたり色が悪かったりするのが交じっている。ちょっと傷んでいるから、隣に並んでいる一山の中のものと取り換えてくれないかと頼んだことがあるが、あっさり断られてしまった。何度か断られると、これはマナー違反なのだということに気がついた。タンザニア人の買い物を見ていると、特にクレームをつけている姿を見かけたことはない。

小さな店や露店では、売り手は生産者であることが多く、客には買ってやるというより、買わせてもらっているという雰囲気がある。どれほどお金を持っていようと、売ってもらえなければ、新鮮な野菜も果物も手に入れることはできない。

町に住んでいても、タンザニア人の多くは地方出身者であったり、郊外に畑を持っていたりするため、農業の厳しさや農産物の品質にはバラツキがあることなど、よく理解しているのだと思う。だからこそ、生産者が並べた一盛りの野菜を、盛られているとおりに買っているのだろう。

日本では、お客様は神様という言葉どおり、お金を支払う側である客を大切にする文化があるのだが、神様であるべきは、むしろ生産者の方ではないだろうか。手間暇かけて、天候に左右され、災害を乗り越えながら、食を支えてくれる生産者のことを思うと、タンザニア時代も今も変わらず、わが家のエンゲル係数が高いことは悪くない気がしている。

豆の力

モロゴロは内陸なので新鮮な魚が手に入らず、また、納豆や豆腐といった安くて栄養価の高い食べ物や、調理せずに食べられる加工食品に頼ることもできなかったので、毎日の献立を考えるのに苦心させられた。

タンザニアの牛肉は、硬くて味が違う（調理の仕方で劇的においしくなるのだが）とはいえ、日本と比べれば安かった。牛肉に比べると鶏肉は高かったが、放し飼いにしている地鶏以外に、ブロイラーが出回るようになり、冷凍パックの鶏肉がスーパーで手軽に買えるようになった。それでも、キロ単位で売られている牛肉、1羽丸ごと売られている鶏肉は使い勝手が悪い。日本でよく食べていた豚肉は、イスラム教徒が多いことから、入手するのが難しかった。お手伝いさんがイスラム教徒ということもあり、豚肉は夕食に人を招くときに、豚を飼っているところで屠畜すると聞いて分けてもらったり、ケニアから輸入された冷凍品をスーパーで買ったりするくらいであった。

しかし、タンザニアには、加工食品や肉に頼らずにすむ、素晴らしい食材がある。それは豆だ。タンザニア人にとって、安価に手に入る豆は貴重なタンパク源となっており、特に、マハラゲと呼ばれる金時豆に似た赤い豆は、毎日のように食べられていた。

市場ではマハラゲのほか、大豆も売られていたし、新鮮なグリーンピースなどの生の豆も手に入った。これらの豆は1キロほどまとめてゆでて冷凍しておき、シチューやソテーを作るのに重宝した。

豆を煮るのは楽しい。形が丸くころころしてかわいいし、なんといっても調理するのに切る必要がないため、苦手なナイフを使わなくてすむ。豆を食べると元気が出るし、環境への負荷が少ない豆は、たくさん食べても罪悪感がなくてすむ。

日本にいたころは、おせちの黒豆と鏡開きのぜんざいを作るくらいだった豆料理。タンザニアで日常の食材としての豆のすばらしさに気づき、帰国してからもよく豆料理を作るようになった。

三つの石

タンザニアでも、町なかの家では灯油や炭を使ったコンロの他、ガスや電気クッカーで調理する家庭があるが、地方の村では、石を三つ置いただけの伝統的な方法で煮炊きしていた。石のサイズはだいたい、直径20センチほどで、これらの石を間隔をあけて置く。石を置いた真ん中の空間で薪を燃やし、石の上に鍋を置いて調理するのだ。

鍋のサイズに合わせて、石を置く間隔を変えることができるし、薪の量を調整して火加減も変えることができる。燃料にする薪は近くの林から切り出してきたものなので、燃料費がかからない。

驚くべきことに、三つの石で調理した方が料理がおいしく出来上がるのだ。もちろん、どんな石でもいいというものではないし、三つの石を使いこなすには熟練を要する。

わたしなど、マッチを擦るところからてこずっていた。タンザニアで流通していたマッチは先端部分に塗られた燐が少なく、なかなか火がつかなくて5〜6本無駄にしてしまったりする。タンザニア人は、1本のマッチも無駄にすることなく火をつけて、簡単に薪を焚きつけることができる。

三つの石では、料理しづらいだろうとか、薪集めが大変だろうと思っていた。だが、コンロの五徳の上に置くより、三つの石の上に鍋を置いたほうが、しっかりと鍋を安定させ、力を入れてウガリを混ぜることができる。また水汲み同様、薪集めは大変な労力を必要とするが、光熱費というものがかからない。電気、ガスというインフラがないこともあるが、あったとしても、燃料費を支払うほど現金収入がない家庭も多い。炭はほとんどどこでも売られているが、決して安いものではない。

同じ薪を使うのでも、森林伐採を防ぐため、もっと熱効率のよい「改良かまど」を普及させようと、さまざまな取り組みが

なされていた。わが家でも、夫がネットで調べた改良かまどを試作してみたことがある。しかし、熱効率はよくても、鍋の大きさに応じて簡単にサイズを変えられないとか、調理場所を移動できないとか、使い勝手の面で三つの石にはかなわなかった。

環境や利便性のため、改良しようとか工夫しようとか、よそから来たものはそう考えるのだが、保守的というだけではない、変えない理由というものがあるのだと気づかされた。

モロゴロ・インターナショナルスクール

モロゴロには小規模であったがインターナショナルスクール（以下インター）があり、娘も息子もこのインターに通うことになった。インターは、町なかを抜けて幹線道路をドドマ方面に1キロほど走って右に入る、オフロードの脇道を進んだところにあり、小さな古ぼけた看板があるだけで、その先に学校があるとは思えない奥まった場所にあった。

校舎はコンクリートブロックとトタン屋根でできた、これ以上ないというほど簡素な平屋で、ペンキの色の違い以外はタンザニアの田舎の小学校と大差ないつくりであった。屋内の体育、卒業式やその他のイベントに使われる建物は、壁のないトタン屋根のホールで、60センチほどのコンクリートの低い塀（腰かけるのにちょうどよいベンチでもあった）で囲まれた、シンプルだが風が通る心地よいオープンスペースだった。

このインターはイギリス系の学校で、イギリスから派遣された教師と数人のタンザニア人の教師がいた。生徒の多くは、アラブ系タンザニア人とインド系タンザニア人であり、他にヨーロッパ系ジンバブエ人、ヨーロッパ人とタンザニア人の親を持つ子ども、イギリス人、ドイツ人、スイス人、アメリカ人、デンマーク人、そして日本人と、小規模な学校ながら多様な人種の子どもたちがいた。

幼稚園、小学校、中学校からなるインターは、各学年1クラスずつで、全校生徒数は１００名ほどであった。中学に進級する前に、ほとんどの子どもたちはケニアか南アフリカの寄宿学校に転校してしまうため、娘が中学生になった時、クラスメートは1人しかいなかった。この唯一のクラスメートはデンマーク人の女の子だったが、彼女の家に強盗が入るという事件があったことから、一家は国に帰ってしまい、しばらく娘はクラスでたった一人の生徒となってしまった。中学生に上がると同級生が少なすぎて困るけれど、どのクラスも多くて10名程度だったことはとても恵まれた環境であった。

インターには指定された制服はなく、白いシャツまたはポロシャツに紺のスカートかズボンを制服として準備すればよかった。また、日本のような教科書はなく、各クラスの先生が授業に必要な箇所をコピーしてくれたものを使っていた。色ペンや絵の具セットだけでなく、鉛筆や消しゴムなどの筆記用具さえ学校に備えてあったので、持って行く必要がなかった。インターに持って行くリュックに入れるのは、基本的に軽食と水筒だけでよく、体育がある日は制服が汚れるので運動着（普段着）を、スイミングがある日は水着とタオルを持たせた。

インターの子どもたちの軽食の中身は、きゅうりやニンジンなどの野菜スティック、フライドポテトとオムレツ、りんごやバナナなどのフルーツ、レバーペーストのサンドイッチ、ポテトチップスとコーラなど様々であった。家に帰って遅い昼食を食べるため、日本のような手の込んだお弁当を持たせる必要がなかった。わたしは、パン焼き機で焼いたパンに、タンザニア産のピーナッツバターとハチミツを塗ったもの、または、ヌテラ（チョコペースト）をはさんだサンドイッチを持たせていた。日本でのお弁当作りは大きな負担だったが、前日に忘れずにパン焼き機をセットしておけば、毎朝同じものを作るのだからストレスがなかった。その分、自国の食べ物をふるまうフードデーなど、父兄が食べものを持っていくイベントでは、大量のアメリカンドッグや大学芋を持参し、焼きそばやチョコバナナをその場で作るなどして、インターの子どもたちに喜んでもらえた。

親にとっては、子どもの送り迎え以外、日常的な負担がほとんどなかったため、たまにあるインターのイベントに楽しみながら協力できるという、不思議なバランスが生み出されていた。

Mr.&Mrs. スミス

インターでは、幼稚園から中学校まで全学年の生徒が、1週間、共通のテーマで活動するなど、とてもユニークな授業が行われていた。たとえば、「音楽ウィーク」では、廃材や自然の素材を活かした楽器作りに挑戦し、「美術ウィーク」では、各学年がそれぞれの年齢に応じた人形を作った。息子の学年は操り人形を作って劇を上演し、娘の学年は粘土で作ったキャラクターを少しずつ動かして写真にとり、アニメーション風の作品を作った。生徒たちの作った作品は学期末の終業式で、全校生徒と父兄に披露された。

また、全教科で飛行機をテーマとしたときには、歴史の授業では飛行機の歴史を、科学では上からものを落とす実験、美術では飛行機を作るなどの内容だった。このときの娘の科学の宿題は、生卵を2メートルの高さから割れないように落とす方法を考えることであった。

いろいろなユニークな教育内容に感心させられたが、教科書もお手本もないからこそ、子どもたちは、手に入る材料でそれぞれに工夫し知恵を絞って課題に取り組んでいた。知識を詰め込むのではなく、考える力を鍛え、想像力を養う教育であり、そのような力は、生きていくうえで、何をするにも必要な力だ。

体育の授業では、サッカー、テニス、クリケット、水球、バレーボール、バスケットボール、グラウンドホッケーなどのスポーツを、遊びのように楽しく経験することができた。小学4年生に上がると、週一回の部活動が始まり、子どもたちは学期毎に運動系、文化系から希望する活動を選ぶことができる。部活動といっても、スポーツや手芸など、先生たちがそれぞれ得意分野を担当し、活動時間は放課後1時間くらいという、頑張る必要のないのんびりしたものであった。

インターでは年に数回、演劇やバザー、スポーツ大会などの大型イベントが開催された。中でも、クリスマス休暇前に上演される毎年恒例のミュージカル劇は、全校生徒の中からオーディションで出演者が決まり、生徒たちが舞台を作り、脚本と歌と演技の指導を先生が担当する大がかりなものであった。演劇の本場イギリスの先生の力量によるものだろうが、ユーモアを取り入れたすばらしい出し物は、大人にとっても、娯楽の少ないモロゴロでの年末の最大の楽しみだった。

このような素晴らしい教育をすることができる先生たちの中でも、娘が中学のときの校長でもあり担任でもあった、Mr.スミスは、優秀でスポーツ万能、ユーモアのセンスがバツグンのすばらしい先生だった。彼の奥さんもインターの先生であり、Mr.&Mrs.スミスの3人の子どもたちもインターの生徒であった。Mr.スミスは、全校生徒を2チームに分け、ボールを3個同時に使うというユニークなサッカー大会を催したり、中学校の科学の授業では、校外学習としてモロゴロの川の水質を調べる実験をするなど、タンザニアの環境に子どもたちの目を向けさせてくれた。

ある週末、Mr.&Mrs.スミス家族と、タンザニア人教師家族と、アラブ人寄宿生と一緒に、ダルエスサラームの北の方にある海岸にキャンプに行くことになった。家族と離れて暮らす寄宿生たちのことを考え、Mr.スミスが企画してくれたのだ。釣りをしたり海で泳いだりした楽しいキャンプでの一番の思い出は、朝食の風景だ。早起きしたMr.スミスは、熱したフライパンに大量のマーガリンを投入し、2ダースの卵を溶いたものを一気に流し込んでスクランブルエッグを作り、いくつかのベイクドビーンズの缶詰を開けた。こうして、朝食の準備ができたころ、Mrs.スミスがとても素敵な笑顔で優雅にテントから起きだしてきたのを見て、軽いカルチャーショックを受けてしまった。

週末は、モロゴロのレストランやバーで先生たちに会うこともあり、インターの夜のイベントでは一緒にお酒を飲むこともあった。先生も親も生徒たちも、のびのびと過ごせるというのもまた、今思うと、夢のような世界であった。

多様性と個性

海外での生活は、気候や食べ物、言葉や文化の違いと、いろいろ苦労することが多い。とりわけ、島国で育った日本人にとって、人種差別を受けることはかなりショックなことだ。モロゴロのインターや外国人コミュニティのなかでも、人種差別のようなものを何度か経験した。

モロゴロには、同じ国同士のコミュニティができるほど外国人の数が多くないため、インターを中心として、国籍に関係なく付き合わざるを得なかった。ヨーロッパ人はほとんどキリスト教徒だが、インド系タンザニア人はヒンドゥー教徒で、アラブ系タンザニア人はイスラム教徒だった。しかし学校行事やスポーツイベントなどで、食べ物を提供するときに、豚肉を避けていたくらいで、宗教にかかわらず親しく付き合っていた。インターの子どもたちは、国の違いだけでなく、家庭環境も異なっていて、日本のような察したり空気を読んだりすることはない。それでもお互いに、遠慮なく、言いたいことを言い、ぶつかり合いながらも楽しくやっていたようだ。

一方で、大人社会では表面的に出さない差別も、子ども社会では容赦ない。娘も息子もインターに通い始めた当初は、英語がほとんどわからなかったこともあり、日本人であることで、からかわれたり、ちょっとしたいじめにあったりもした。インターでは、英語以外の言葉を話すことは禁止されていたが、先生にわからないよう、スワヒリ語で悪口を言われたこともあったそうだ。わたしは、娘と息子に、インターの中では日本人の代表なのだから、日本人はすごいと思われるように、悪いことをされても自分はしない、勉強やスポーツを頑張って、人に親切にするようにと言った。

インターでは、「スポーツデー」という日本の運動会のようなスポーツイベントがある。赤白ではなく、キリマンジャロ（赤）、ヴィクトリア（青）、ルアハ（黄）という、タンザニアの名所を名前にした3チームに分かれ、それぞれのチームカラーのTシャツを着て、サッカーやリレー、グラウンドホッケーや水泳など、各種目で競う。チームのリーダーはハウスキャプテンと呼ばれ、各チーム内の投票によって選ばれる。最後の年のスポーツデーでは、娘と息子がそれぞれ、ルアハとヴィクトリアのハウスキャプテンを務めた。下は4歳から上は15歳までの、多様な人種からなる、強烈な個性をもつ子どもたちのなかで、ハウスキャプテンとしてリーダーシップを取れたことは、娘と息子にとって、とても貴重な経験であった。

英　語

インターはイギリス系の学校だったので、校長と教師のほとんどはイギリス人だった。娘と息子はインターに通うことになるとわかっていたが、赴任前、子どもたちにこれといった英語の勉強はさせなかった。英語に触れた時間があるとすれば、ＮＨＫの幼児向け番組、『英語であそぼ』を見ていたことくらいで、歌とダンスがたくさんあって、楽しくてよい番組だった。

わたしは長い間、英語に関わってきたのだが、その時間と比例するかのように、英語に苦手意識を持ち続けていた。英語コンプレックスのわたしが一番気をつけていたことは、子どもを英語嫌いにしないようにすることだった。

インターに入学したとき、娘は少し英単語を知っていたくらいで、息子は自分の名前とトイレに行きたいという表現だけ練習して言える程度だった。算数だけは授業の内容が理解でき、美術や体育の時間もそれほど困らなかったと思う。しかし、英語、歴史、科学の時間は、教室にいることさえつらかっただろう。

子どもたちにとっては、学校に通うだけでも大変なことがわかっていたので、家に帰って遅い昼食を食べた後は、好きなことをさせてのんびり過ごさせていた。英語に追いつくようにと、家で英語の勉強をさせたり、家族で英会話をしたことは一度もなかった。

娘も息子も、英語教育を受けないままインターに放り込まれたので、最初は何もわからずに苦労していたけれど、逆に英語に先入観や苦手意識を持たず、必要に応じて単語やフレーズを覚えながら、少しずつコミュニケーションが取れるようになっていった。

言葉は、意思や考えを伝え合うためにあるのであって、テストで優劣をつけるためのものではない。少しのスペルミスでも減点されるのでは、英語を好きになれるわけがない。文法ミスや発音の間違いさえ指摘されるのでは、簡単な会話をするにも萎縮してしゃべれなくなってしまう。日本の英語教育は、英語に強い苦手意識を植え付け、同時に英語ができることにあこがれを持たせるというものであり、それがまだ続いているように思われる。

ＴＯＥＩＣやＴＯＥＦＬで満点を取れたとしても、それだけでは英語を活かした仕事はできない。むしろ、確固たる技術力や経験、何より人間力があれば、英語はあとからついてくるものだ。学校での英語教育はやめたほうがいいとまでは言わないが、試験などせずに、特別活動のような楽しいものにしてはどうだろうか。

ビー玉遊び

インターで、「マーブル」という遊びが流行ったことがあった。子どもたちが、インターから持ち帰ったビー玉を見せてくれたとき、マーブルとはビー玉のことだとわかった。遊び方は単純で、相手が投げたビー玉に自分が投げたビー玉が当たると自分のものにできるという。昼休みになったとたん、それぞれビー玉の入った袋を持って教室の外へと飛び出し、対戦相手を見つけると、校庭いっぱいに散らばってビー玉遊びに熱中しているという。

最初は何個かもらったのだろうが、娘も息子も強いらしく、どんどんビー玉が増えていった。いろいろな大きさや色のビー玉があるが、どの子も光沢があったり模様があったりする特別なビー玉を狙っているようだ。なにも提供せずに、友だちの大切なビー玉を勝ち取っているばかりでは申し訳ないと、一時帰国のときに、きれいなビー玉をたくさん買ってきた。だが、そのころにはビー玉遊びは下火になっていた。どうやらインターでは、ビー玉遊びの流行る時期が周期的にやってくるらしい。鬼ごっこが流行ることもあるし、ゴム跳びが流行ることもある。遊びの流行りはどのようにして生まれるのだろう。

当時は、毎日の生活でいっぱいで、そのような疑問を持つゆとりがなかった。タンザニアには雨季と乾季があり、一年中暑いとはいえ、一日中暑い時期もあれば朝晩だけは涼しい時期もある。季節に関係しているのだろうか？　誰かが言い出して、遊びの波ができるのだろうか？

ビー玉遊びは、自分の持ち玉をいかに増やすかが勝負だが、おそらく勝ちすぎても嫌われるだろう。きれいな玉を惜しんで出さずにためこんでいては、ケチだと思われるだろう。友だち同士で交換することもあるだろうし、負けが続いている子には、玉を分けてあげることもあるだろう。

どうしてこんな単純な遊びに熱中しているのだろう？　と不思議に思ったのだが、ビー玉遊びを通して、子どもたちが得るものはとても大きかったと思う。身体を動かすのはもちろん、集中力もコミュニケーション力も鍛えられる。昔、日本でも流行ったというビー玉遊び、また

復活しないかな？

スイミング

インターでは、年間を通してスイミングの授業があった。暑い時期はよいが、涼しい時期の曇りの日には、子どもたちは唇を青くして震えながらプールに入っていた。

日本の学校では、プールカードに体温を記入し親が印鑑を押さなければ、水泳の授業に参加することはできなかった。インターでは真逆で、泳げないときのみ、親が泳げない理由を書いてサインした手紙を持たせる必要があった。

子どもたちは、水着に着替えシャワーを浴びると、準備体操もなくいきなりプールに飛び込む。多少のフォームの指導はあったようだが、休憩なしにひたすら泳がされる。それでも知っている限り、一度も事故はなかった。日本に帰ると、水泳の授業は、準備と準備体操、休憩、注意と指導などで、ほとんど泳ぐ時間がないと、娘も息子も、嘆いていた。

インターでは、毎年5月に、5キロスイミングというイベントがあった。順位やタイムを競うのではなく、目標は5キロを完泳することだ。小学4年生以上から参加できて、週末に学校のプールで行われる。先生が何人かついてくれるが、基本的に親がわが子を見守る形となる。子親は、水やポカリスエットのようなドリンクを準備し、プールサイドに立って声援を送る。子どもがターンをするとき、ドリンクやバナナなどを渡し、立ち泳ぎ状態の子どもと話すことができる。

息子は、帰国する前の最後のチャンスでこのイベントに参加した。その日の朝は肌寒く、水に入れるのがかわいそうだった。泳ぎ始めると、顔から血の気がひいて唇は青ざめてきた。3キロ過ぎ、4キロ過ぎ、あと何往復というころになると、無理させないつもりだったのだが、必死で息子を励ましていた。泳ぎが得意な娘と違って、スポーツ万能なのに泳ぎだけは苦手なのだ。

このイベントで5キロを泳ぎ切ると、インターのホールに掲げられた楯に名前が刻まれる。この楯は常に生徒の目にさらされていて、誰もがいつか自分の名前を刻みたいと思う。その前の年に娘の名前は刻まれている。息子もここにいた証に名前を刻んでほしいし、苦しい5キロを泳ぎ切ることができれば、自信がつくだろう。疲れて足がつりそうになっている息子に、ドリンクを渡しながら、「あと少しがんばれ、今やめると後悔するよ！」と励まし続け、無事に5キロを完泳することができた。

いつものスイミングの時間と同じく、体温も測らず、準備体操もなしだった。体調は本人や親が一番わかっている。体調が悪ければ参加しないはずだ。医療体制が整っていないタンザニアのこの小さな町で、リスクを冒すことはできない。何かあっても、ほかの誰かを責めることはできない自己責任の世界。息子に何かあったら、全責任はわたしにあった。泳いでいる間の息子の一挙手一投足を、ターンする時の表情を、真剣に見守り続けた。4年間、娘と息子がインターにいた証を楯に残したかったわたしだが、息子はそんなことなど考えてもいなかっただろう。

ママ・ショーの家

一時的な住まいだったソコイネ農業大学のキャンパス内の住居から、以前、日本人が住んでいた一軒家が空いているというので、「ママ・ショーの家」に引っ越すことになった。

タンザニアでは、日本で○○ちゃんのお母さんというように、ママ・○○と、女性を呼ぶことがある。ショーという子どもがいたのだろう、ママ・ショーと呼ばれる大柄で貫録のある、どこか抜け目のなさを漂わせたタンザニア人女性がその家のオーナーであった。

ママ・ショーの家は、なぜか間取りが迷路のようになっていて、強い日差しを避けようとしたのはわかるが、家の中は薄暗く、落ち着かなかった。室内とは対照的に、玄関前のテラスには、周囲までオレンジ色に照らすような、色鮮やかな火炎カ

ズラが垂れ下がっていた。あるとき、そのテラスに置いていた息子のグローブやプラスチックの椅子が、夜のうちに盗まれてしまった。番犬もいたし、アスカリ（スワヒリ語で軍人や警備員。ここでは夜警の意味）を雇っていたにもかかわらずだ。

ソコイネ農業大学の住居は大学の敷地内にあり、ゲートを通らないと敷地に入れなかった。しかし、ママ・ショーの家は、現地の人たちの民家に囲まれていて、家の前はウルグルの山へと続く通り道でもあった。いろいろな人が行き交う道なので、治安が悪いのが気になっていた。

娘も息子も、まだ馴染むことのできないインターで疲れていたし、夫も新しい仕事で余裕がなく険しい顔をしていて、生活の悩みを相談するような雰囲気ではなかった。あれほど、ずっと戻りたかったタンザニアにいるのに、家族から元気と笑顔が少なくなっていくことがつらかった。そこで、ネコを飼うことにした。

エマの死

ネコを飼いたいというとき、どうするかといえば、ネコがほしいという意志をタンザニア人の知り合いや近所の人に伝えればよい。タンザニアは口コミ社会なので、2〜3人に話しておくと、そのうち数十人には、おそらく話に尾ひれがついて広まっていくだろう。

アスカリさんに相談した約2週間後、彼のご近所で子ネコが生まれたと聞いて、さっそくそのお宅を訪れた。何匹かいた子ネコの中から、とびきりかわいいメスの子ネコを譲り受けた（幾ばくかの謝礼を支払ったと記憶している）。

タンザニアのネコは、日本のネコと比べ目が大きいようで、とがり気味の大きな耳といい、どこか野性味をおびており、とても魅力的だ。譲り受けた子ネコに、やさしいという意味のスワヒリ語から、エマと名付けた。エマは、仕草も鳴き声も性格もかわいくて、家族みんなを笑顔にしてくれ、家の中の雰囲気がパッと明るくなった。

それなのに、わたしの不注意から、エマを死なせてしまった。わたしたち家族が住む前から飼われていた番犬が、網戸のすきまからエマをとらえてかみ殺してしまったのだ。子どもたちがインターへ行っている間の出来事で、わたしの目の前で、それは起こった。怒りにまかせて犬を木の枝でたたいたあと、近所中に聞こえるほどの声をあげて泣いた。

シャンバさん（スワヒリ語で庭師）に穴を掘ってもらって、布にくるんだエマを、プルメリアの木の下に埋めた。子どもたちに、死んだエマを見せることなどできなかった。インターに子どもたちを迎えに行き、家に帰ると、エマが犬に殺されたことを説明し、お墓にお参りするように言った。泣きだした子どもたちに、ママがみんなの分も泣いたから、泣かないでほしいと言った。子どもたちに大泣きされてしまうと、つらすぎて耐えられなくなりそうだった。

わたしはエマを殺した番犬をこれ以上飼うことはできず、番犬を必要としている人に引き取ってもらうことにした。

コルドンブルー（青い鳥）

モロゴロの小さな外国人コミュニティでは、誰もが誰もを知っていて、何も秘密にしておくことができなかった。

外国人には、夫のような援助関係者のほか、インターの教師やミッショナリー関係の人々がいた。また、日本にも輸出している大きなタバコ会社があって、そこで働くヨーロッパ系ジンバブエ人が外国人のマジョリティを占めていて、たくましく、威圧感のある彼らの存在感は圧倒的であった。そのほか、輸出向けのハイビスカスティーや香辛料を栽培する、大きな農園を経営するドイツ人がいた。変わったところでは、日本のテレビでも紹介された、アフリカの巨大ネズミ（体長40センチにもなる）を使って、地雷除去をするプロジェクトを運営するベルギー人や、タンザニアで最大の農業大学があるので、海外からの研究者や学生もいた。

わが家以外の日本人家族は、多いときでも3家族しかおらず、同年代の子どもはインターの外国人しかいなかったこともあり、外国人コミュニティの中に入っていくしかなかった。そんな外国人コミュニティで、わたしは、鳥を保護する人として知られるようになった。

コルドンブルーは、モロゴロで最初に育てた小鳥のヒナだった。ウルグルおろしと呼んでいた、ウルグル山地から吹き下ろす、強い風で飛ばされた鳥の巣が庭に落ちていたのを見つけた。まだ目が開いたばかりで、体長5センチほどの4羽のヒナは、薄灰色に美しい空色が混じった羽毛に包まれていた。

幼少期に、ホオジロのヒナや、文鳥やインコのヒナを育てた経験から、市場で粟を買ってきて皮をむいて煮たものを楊枝の先に乗せて、大きく開いた小さなくちばしの中に押し込んだ。するとヒナたちは競うように餌を食べてくれたので、順調に育つかのように思われた。青いフワフワの羽毛に包まれたヒナは、まだ落ち着かないモロゴロでの生活の中に訪れた、幸福の青い鳥のように思われた。

ところが、3日後、あれほど食欲旺盛だったヒナたちは、突然口を開けてくれなくなった。何が起こったのだろうか。よく見ると、ヒナたちの胃袋には未消化の粟の実が詰まっており、消化不良を起こしていたことがわかった。皮をむいた粟を煮ただけでは消化できなかったのだ。

ペットショップなどないため、市場の近くのキオスクで探してみると、タンザニア人がおかゆのように煮て、離乳食や病人食などに使っている、ヒエなどの雑穀を粉末にしたものが売られているのを見つけた。それをお湯で溶かしたものは理想的な餌であったが、もはや手遅れだった。未消化の粟がつまった胃袋が小さくなることはなく、4羽のヒナは次々に死んでしまった。

「幸福の青い鳥」の死は、モロゴロでの生活になにかしら不吉な影が近づいているようで、不安な気持ちにさせられたが、コルドンブルーの失敗があったからこそ、のちに保護することになった鳥たちを無事に育てることができたのだった。

カメレオン

毒のあるカメレオンがいるとは聞いたことがない。しかし、タンザニアでは伝承や民話によるものなのか、呪術に関係しているのか、理由はわからないが、カメレオンは毒を持つ危険な生き物として恐れられていた。

ある日、子どもたちをインターに送る途中、赤土の道の真ん中に、エメラルドグリーンに眩く光るものを見つけた。車を止めて近づくと、それは体長20センチほどのカメレオンだった。強烈な日差しを跳ね返してギラギラと輝いていて、それまで見たことのないような美しさだった。あの独特な動きをするカメレオンを、以前から飼ってみたいと思っていたわたしは、カメレオンを捕まえると、紙袋に入れて家に持ち帰った。

カメレオンを飼育するために、木枠に網を張り、上蓋を持ち上げて開けることのできるケージを、大工さんに作ってもらった。カメレオンが上れるように葉っぱのついた枝をケージに入れ、子どもたちは餌用のハエを生け捕りにしてくれた。ハエはいつの間にか家の中に入ってくる厄介者だが、いざ捕まえようとするとどこにもいない。だが、子どもたちはハエの多い場所を知っていた。それは、犬のフンが落ちている場所だが、たくさんいるとはい

え、殺さずに捕まえるのは簡単ではない。しばらくすると、子どもたちは、ハエの動きをよみ、両手でつぶさないようにハエを捕まえるという特技を身につけた。娘は帰国して通っていた中学校の教室にハエが入ってきたとき、捕まえて外に放して驚かれたそうだが、日本のハエは、動きが遅いので捕まえるのは簡単だったそうだ。

それでも、カメレオンに生餌を与え続けることは難しかった。何より、カメレオンは持ち帰ったとたん、まるで何かの警告のように、茶とグレーの混じったようなくすんだ色に変わってしまった。周囲の環境で身体の色を変える性質とはいえ、あれほど美しかったカメレオンから、色も輝きも奪ってしまった自分の愚かさに気づき、カメレオンを藪に放した。

パルボウイルス

タンザニアでは、塀や生け垣に囲まれた家、つまり外国人や裕福なタンザニア人の家庭の多くでは、犬は番犬として飼われていた。番犬としての役割を果たせるように、昼間は犬小屋に犬を閉じ込めておき、夜だけ庭に放すこともある。エマを殺してしまった犬も、このような飼われ方をしていた。

タンザニアでは子犬より、番犬としてすぐ役立つ成犬を好む人もいるので番犬を必要としている人に、エマを殺した犬を引き取ってもらったが、犬がいないと心細い。アスカリさんは夜中に寝てしまうことが多いため、あまりあてにならないが、犬は不審者が近づくのを察知して吠えることで、アスカリさんを起こしてくれる。

わたしは、ペット兼番犬としての犬が欲しかったので、子犬を飼うことにした。ちょうどそのころ、日本人の友人のお宅で飼われている犬（ローデシアン・リッジバック）が子犬を産んだので、譲ってもらえることになった。ママ・ショーの家には、レモンとライムの木があったことから、友人から譲り受けた2匹の子犬に、それぞれ「ディム」（スワヒリ語でライム）、「リマウ」（スワヒリ語でレモン）と名付けた。

娘も息子もインターから家に帰ると、ディムとリマウの姿を見たとたん、パッと笑顔がはじけた。だが、子どもたちが2匹の子犬と庭で遊んでいる楽しそうな光景は長続きしなかった。

ある日突然、3か月ほどのかわいい盛りのディムとリマウをパルボウイルスが襲った。パルボウイルスは、激しい下痢や嘔吐を引き起こし、子犬が感染すると重症化することが多い怖い感染症だ。獣医師に来てもらったが、パルボウイルスの特効薬はないという。下痢が続き、まったく何も口にしなくなってしまった犬が脱水を起こさないよう、こまめに水分を与えるよう指示された。しかし、大好物だったミルクにも反応せず、立ち上がることもできない状態なので、針のない注射器を使って強制的に水を飲ませるしかなかった。

わたしはシャンバさんと交替で、30分おきに経口補水液を与え、夜はアスカリさんにお願いした。やがて下痢は血便となり、その血便は強い腐敗臭を放っていた。その腐敗臭からは、死がすぐ近くに迫っていることが感じられ、無駄な努力だとわかっていたが、ぐったりして動けなくなった子犬たちに最期の瞬間まで水を与え続けた。ほぼ同時に死んでしまったディムとリマウを、一番きれいなカンガ（タンザニア人女性が身に着ける布）にくるんで庭に埋葬した。

エマの死、そしてディムとリマウの死。モロゴロ生活の最初の半年は、かわいがっていた動物の死が、わが家に暗い影を落としていた。

海岸から来たチャイ

パルボウイルスは強力なウイルスで、数年間は地中で生き続けると聞いていたので、新しく犬を飼う気にはなれなかったが、暗いムードを変えるために、新しくネコを飼うことにした。エマを飼ったときのように、近所で子ネコが生まれたら譲ってもらおうと思っていたが、当てがはずれ、子ネコが生まれたという知らせはなかった。

息子の8歳の誕生日がちょうど週末だったので、息子が生まれたダルエスサラームに遊びに行くことにした。息子の出産のため入院した、海沿いにあるアガ・カーン病院を訪れると、老朽化していた病院の建物は建て替えられ、見違えるほど立派になっていた。

インド洋に面したダルエスサラームのムササニ湾の海沿いに、書店や土産物店やスーパーマーケットが集まる、スリップウェイという素敵な場所がある。そこには、ダルエスサラームに住んでいたころから大好きな、海を望むオープンカフェがあって、そこのピザは、これ以上薄くできないというほど薄く、トマトもチーズも控えめだけど、なぜかおいしくてビールによく合った。シーフード料理もあり、客のおこぼれを目当てに、いつも野良ネコがたむろしているのだが、ネズミよけになるからか、追い払われることなく居ついていた。

カフェで食事をした後、海岸を歩いたり岩場のカニを観察したりしていると、子ネコの鳴き声が聞こえてきた。ここの野良ネコたちは、海岸の岩場の隙間で子育てをしているようだ。わたしは、息子の誕生日プレゼントを子ネコにしようと思いついて、岩場付近にいるタンザニア人の青年に、子ネコを1匹捕まえてほしいとお願いした。岩場の隙間にいる数匹の子ネコの中から、息子は一番元気のよい茶トラのオスの子ネコを選んだ。青年は狭い岩場に手を入れて、すばしっこく逃げ回る子ネコを難なく捕まえてくれた。その青年に、お礼に数千シリング支払うと、すぐにモロゴロへの帰途についた。

茶トラの色から、スワヒリ語のチャイ（紅茶）と日本語の茶色から、「チャイ」と名付けた。子ネコの存在と時折聞こえる鳴き声が、いつもは疲れて無口になっていた帰りの車内を明るい雰囲気にしてくれた。

ブルーナの家

子ネコのエマは番犬に襲われ、青い鳥は給餌の失敗によって、子犬たちはパルボウイルスのため、次々に死んでしまった。大した被害ではなかったが、泥棒にも入られた、ママ・ショーの家に、何か不吉なものを感じていたとき、イタリア人の女性が、日本人を何人かランチに招いてくれるという機会があった。その女性はブルーナといい、息子家族が海外に赴任するため、彼らが住んでいる家を日本人に貸したいという。

モロゴロ在住50年以上の（映画になりそうな人生を歩んできた）ブルーナには、二人の息子がいて、一人は奥さんがギリシャ人、もう一人はタイ人だった。ブルーナが貸したいという家は、亡くなったブルーナのご主人が建てた、イタリア風の洗練された間取りと、土地の高低差を上手に生かした、おしゃれなベランダが印象的だった。ベランダからは、ヤシの木、ハイビスカス、インディアンアーモンドなどの南国の植物を眺めることができた。広大な敷地には、緑の芝生、手入れされた菜園まである。2メートルほどの高さのブーゲンビリアの生け垣があり、ゲートを入ったとたん、まるで別世界のように感じられ

た。

この家には、奥さんがタイ人の息子家族が住んでいたので、タイ風のラタン家具が置かれ、家電も完備されていた。手作りのピザとレストランでは味わえない絶品のラザニアをごちそうになった後、おそるおそる家賃を聞くと、ママ・ショーの家の家賃と変わらなかった。わたしは、その場で家を借りたいという意思をブルーナに伝えた（この家の家賃は、練馬で住んでいた賃貸マンションの家賃と一緒だった！）。

夕方、仕事から帰ってきた夫に、ブルーナの家に引っ越したいと伝えると、夫はよい顔をしなかった。仕事で忙しいなかでの度重なる引っ越しの負担と、職場から遠くなることが理由だった。ブルーナの家はモロゴロの一等地にあるため治安がよく、インターの生徒たちの家も近いなど、わたしがいろいろと理由を並べると、夫は引っ越すことに同意してくれた。

家事の達人ファリダ

イタリア人のブルーナの家を借りることになったのだが、その家で何年もお手伝いさんとして働いていたのが、ファリダという女性だ。家のすみずみまでよく知っているから雇ってほしいということで、そのまま働いてもらった。

ファリダはウルグルで生まれたルグル族の、柔和で、働き者で、とてもまじめな人だ。年齢は、わたしと同じくらいだったが、早くに子どもを産んでいるので孫がいて、しかも、わたしの息子と同い年の息子もいた。今まで1枚のお皿も割ったことがないというすごい人で、実際、働いてもらった3年余りの間、お皿を割ったのはわたしだけだった。

年間を通して暑い国なので、風通しをよくするための大きな窓があるのだが、網戸から土埃が入ってくる。そのため、ほうきで掃いたあと、ぞうきんやモップをかける必要がある。また、各部屋にある、大きな窓にはめ込まれたルーバーガラスも土埃で汚れるので、一枚一枚雑巾で拭かなくてはならない。

家中の掃除をしてくれていたが、部屋数が多く広いので、1週間のサイクルで掃除してもらう場所を決めた。家の中で忙しく働いている人がいるのを横目に、のんびりすることはできなかったからだ。ファリダは、長年続けてきた掃除のやり方を変えようとはしなかったが、何度も説得して、やっと受け入れてくれた。

アイロンがけもファリダの毎日の仕事だった。洗濯物を干すと、湿った洗濯物にハエが卵を産み付けることがある。卵を産み付けられた服を着ると、卵から出てきた小さな幼虫が、人の肌に入り込んで成長するというのだ。下着にまでアイロンをかけてくれるファリダに、大変だから夫のシャツだけでいいと言っても、熱で虫の卵を殺すために、アイロンがけが必要だという。毎日、4人分のアイロンがけをしてもらうのは心苦しいので、シャツ以外は乾燥機にかけて熱を加えることにした。ふつうなら、仕事が減るとうれしいだろうに、プロ意識が高いファリダに、仕事の手を抜いてもらうのは簡単ではなかった。

タンザニアでは家が広いうえ、日本ではする必要のない家事が多く、買い物や料理などに日本の何倍も時間と手間がかかるため、お手伝いをしてくれる人が必要だった。お手伝いさんがいて楽だったということはなく、むしろ、お手伝いさんがいなくても、サッと家事を済ませられる日本の生活のほうがずっと気楽である。

ファリダはイスラム教徒だ。イスラム教徒は犬を嫌うし、動物を必要以上に近づけない人が多い。以前から番犬が飼われていたので、犬には慣れていたが、ネコは近づいただけで嫌がっていた。それでも、生来のやさしさから、わが家の飼いネコのチャイが、ファリダが掃除するときにモップにじゃれつくことに対しても寛大さをみせてくれた。しばらくすると、チャイの気を引こうとわざとモップを左右に動かして、遊んでくれている姿を目にするようになった。

緑の指を持つジャコブ

ブルーナから、引き続き雇ってほしいと言われたもう一人のスタッフが、庭師のジャコブだった。敷地内の隅々まで熟知しているうえ、水道や電気なども含め、あらゆる家のトラブルに対応できるというのだ。彼はまだ10代半ばのころから、この立派な家を設計し建てたブルーナの亡き夫の下で働いていたというので、この家を知り尽くしているのも納得できる。

最初にジャコブと会った時の印象は、とても痩せていて、大きな目は澄んでいるが、何か隠し事をしているような、おどおどとした雰囲気を持つ青年だった。それでも、家のことを熟知し頼りになることから、庭師として働いてもらうことにした。

ジャコブは、ガーデニングや野菜栽培について、驚くほど豊かな知識があることがわかった。彼の故郷であるドドマ（タンザニアの首都）のゴゴ族の人は、動物への愛情が深いと聞いたことがあるが、ジャコブの動物へのまなざしはやさしさにあふれていた。

彼が手入れする庭木も花も野菜も生き生きとしていたので、わたしの友人はジャコブのことを、“He has green fingers.” と評した。植物管理の達人を英語でそう呼ぶのだと初めて知ったのだが、ジャコブの褐色の手を見ると、不思議と緑がかって見えてきた。

植物好きの日本人の友人に、山から流れてくる川の近くに植木屋があると教えてもらったので、ジャコブと一緒にその植木屋を訪れた。その植木屋は人目を避けるかのように、うっそうとした灌木の中の小道を通る奥まった場所にあった。

そこには、大輪のバラやミニバラ、ベゴニアなどたくさんの花の苗、色とりどりの観葉植物、5種類以上のヤシの木など、多くの植物が並べられており、想像以上の品ぞろえに驚いた。この植木屋の男性は風変わりな人で、売っている植物のほぼすべての学名を知っていた。その後もしばしばこの植木屋を訪れ、ジャコブと相談して庭造りを考え、植物を植えてもらった。庭は広く植える場所はたくさんあるうえ、植えてくれる人もいるという夢のような環境だった。

地方を旅行したときは、道路沿いで売られている花や樹木の苗を買ってモロゴロに持ち帰った。ジャコブは持ち帰った植物を見ると、見たことのない植物に目を輝かせてくれた。あるときはバラ園、あるときはサボテン山をつくり、ヤシの木でふいた東屋を建て、ニワトリ小屋を建て、ついには家を建てるまで、何事においても、最初にジャコブに相談して意見を聞くようになった。ブルーナの素敵な家に住んでいても、苦労して建てた家に引っ越してからも、わたしは家の中にいるより庭に出ているほうが好きだったので、とても長い時間をジャコブと過ごすことになった。

リクガメとジャヌアリ

アスカリ（夜の警備）をしてくれていたジャヌアリは、モザンビークからタンザニアにやってきたマコンデ族の人で、モロゴロの女性と結婚して家庭を持っている。ジャコブが、近所にアスカリとして雇ってほしい人がいるといって、連れてきたのがジャヌアリで、最初に会ったときは、肌が黒く、顔にマコンデ族の伝統的な入れ墨のある、強面の近寄りがたい印象だった。

わが家で働いてくれるようになり、少しずつ打ち解けてくると、モザンビークでは兵士として戦ったことがあり人を殺したことがあると、さらりと身の上話をしてくれた。人を殺した経験など、たとえそれが戦争中であっても隠したい過去でしかないだろうが、普通の出来事のように話すので、こちらも、「あ、そうなんだね」くらいの反応で終わってしまった。そんなジャヌアリだから、夜の警備の仕事は合っていたようだ。

勤務中にぐっすり寝ていることが多かったが、不審者が近寄れば犬が吠えて起こしてくれる。モロゴロでも一番治安が良い場所で、近くに元公安警察の関係者の家があったこともあり、住んでいる間、怖い思いをしたことは一度もなかった。

サバンナのキャンプではなくても、夜の間、しばしばハプニングが起こった。朝起きて、朝食の準備のためキッチンに行くと、ジャヌアリが窓越しに挨拶をしてくれる。そして、特に用がなければ、「お疲れ様。ありがとう」と返事をして家に帰ってもらう。

夜の間に起こったハプニングのなかでも、いくつかは、つい最近のことのように思い出すことができる。ある日、軍隊アリの大群が、帯状になって庭を移動しているのを見つけた。庭で放し飼いにしていたヒョウモンリクガメが軍隊アリに襲われるのではないかと心配になり、アリが登れないように廃油を塗ったブロックで囲いを作り、その中にカメを入れ、軍隊アリから守ろうとした。しかし、軍隊アリにはそんな小細工は通用せず、逆にブロックに囲まれたことで逃げ場を失っ

たカメは、アリに襲われてしまったのだ。

ジャヌアリは、明け方、カメが軍隊アリに襲撃されているのを見つけ、できる限りカメの体からアリを取り除くと、抱きかかえて、朝になるのを待ってくれていたのだ。いつもの朝の挨拶のときに、カメが軍隊アリに襲われたと聞いて、驚いて外に出ると、カメを抱いたジャヌアリの姿があった。もちろん硬い甲羅は大丈夫だが、よく見ると、首や目の周りに数匹のアリが顎でかみついていた。カメからアリを取り除こうとするのだが、頭や手足をすくめるのでなかなか取り除くことができない。ピンセットでアリを引き抜いても、顎だけは残ってしまった。心配したが、カメは大丈夫そうで、娘があげた好物のハイビスカスの花を食べてくれた。

それからは、カメを囲いの中で守ることはやめた。自然の中で、シェルターも武器もなしに、ちゃんと自分の身を守るすべを身につけているのだ。下手に人為的な安全策を講じると、逆効果になるということを学んだ。

まるで浦島太郎のように、カメを救ってくれたジャヌアリの優しさは、彼の身に起こった恐ろしい過去を吹き消してくれたのだった。

花？　カマキリ？

川のそばにある植木屋さんで買った、20センチほどのミニバラの苗は、あっという間に50センチ以上に成長し、記憶の限り、咲かない時期より咲いている時期のほうが長く、たくさんの白やピンクの花を咲かせてくれた。週末の朝は、朝食前、ひんやりとした空気を楽しみながら、30分ほどかけて庭の植物を眺めて歩いた。

ある朝、ピンクのミニバラに目をやると、バラと同じピンク色をしているが、花とは違うものを見つけた。よく見ると、それはカマキリだった。子どもたちと夫を呼んで、一緒に観察し、息子はアフリカの昆虫図鑑からこのカマキリを探し出した。すると、これはハナカマキリで、バラの花弁のような丸い形をしているため、幼生の間の姿ということがわかった。

こんな珍しい生き物を見ることなんて、めったにないことだ。ジャヌアリに見せると、驚いた様子もなく「ブンジャ・チュング」と一言。直訳すると、「壺壊し」という意味のスワヒリ語だ。日本語の、鎌で切るカマキリという名前と似ている。英語の、「祈る僧侶」という名前より、「壺壊し」のほうが日本人には共感できる名前だ（日本でもカマキリを「おがみ虫」と呼ぶこともあるらしい）。

ジャヌアリによると、花の上でたまに見られるカマキリで珍しくないという。数日後には、花弁のような丸まった身

体がカマキリらしくピンと伸びて、羽には渦巻きのようなくっきりした模様が現れた。このカマキリが見られる時期が12月ということと、渦巻き模様が数字の「9」に見えることから、「ティサ・ディセンバ」(12月9日)とも呼ぶそうだ。

ジャヌアリは生き物についての知識が豊富で、ハトが産む2個の卵は必ずオスとメスであり、この2羽がつがいになるのだと教えてくれたこともある。ハナカマキリを見た日から、ジャヌアリと生き物の話をするのが楽しみになった。

ジウェとマウェ

住み心地のいい、美しい庭を一望できるベランダのあるブルーナの家に引っ越してから、家族に笑顔が増えてきた。住むところでこんなにも気持ちが変わるとは思わなかった。

引っ越して落ち着いてきたころ、この広い庭で犬を飼いたいと思った。パルボウイルスで2匹の子犬を死なせてしまったけれど、日本人の友人のお宅に、また子犬が生まれたということで、その中から2匹を譲ってもらった。子犬には、すぐにパルボウイルスの予防接種を打ってもらった。近所で牛を飼っているところから買ってきたミルクを子犬たちに飲ませ、すくすくと育ってくれた。

子犬たちの名前は、岩が多い土地にちなんで、茶色い方をジウェ(スワヒリ語で石・単数形）と、白に茶色の斑模様のある方をマウェ（石の複数形）と名付けた。特にマウェは活発で、庭にきた鳥を追いかけて四六時中庭を走り回り、２メートル以上あるブーゲンビリアの生け垣にとまっている鳥をめがけてジャンプした際、ブーゲンビリアの鋭い棘で胸に大けがをして傷口を縫ったこともある。ローデシアン・リッジバックなので、狩猟本能が旺盛だが、お客さんがきても人懐こく、新入りの動物にもやさしかった。

子どもたちが芝生の庭で子犬たちと元気いっぱい駆け回るころ、ようやくモロゴロの生活を楽しめる余裕が出てきた。のちに、ブルーナの家で生まれたシェパードの雑種の子犬２匹も加わり、帰国するまで、わが家の庭は犬たちの楽園であり続けた。

マニキンちゃん

ある日、庭で自転車に乗っていた息子は、マウェが何かをくわえているのを見つけた。それは、ウルグルおろしとよんでいた、山からの強風に吹き飛ばされて落ちた鳥の巣だった。息子がマウェから巣を取り上げると、小鳥のヒナが1羽だけ生き残っていた。それがマニキンちゃんだった。

いろいろな生き物を飼ったのだが、成鳥でも9センチ程のこの小さな鳥が、もっとも長生きした生き物であり、モロゴロで直面した数々の試練のなかで、わたしの心の支えとなってくれた存在であった。
小さなヒナ鳥は、まだ羽毛が生えていない裸ん坊で目も開いていなかったので、巣ごと小さな箱に入れて、ティッシュで覆って保温した。チーチーと鳥をまねて声を出すと、小さなくちばしを開けてピーピーと食べ物を求めている。コルドンブルーの失敗を繰り返すことはできない。

フィンチ類（雀の仲間）のヒナには、ウレジというヒエを粉にしたものが最適だと、コルドンブルーの経験から学んでいた。キオスクにウレジの粉を買いに行くと、ウレジの他にピーナッツ、大豆などをミックスした、離乳食や病人食として用いられる粉、「リシェ」（スワヒリ語で栄養）という名前の、理想的なヒナの餌を見つけた。「リシェ」をお湯で溶いて、楊枝のとがった先端を平らに削り、ほんのわずかの餌をのせて慎重に口に運ぶ。柔らかく栄養満点の餌をバクバクと食べてくれたのだが、よいかんじのフンをしてくれたのを見て、はじめてほっとした。食べることができて排泄できれば、生きていけるということだ！

といっても小さな胃袋、親鳥は日に何度も餌を運んでくるので、3時間おきに給餌することにした。そのころには、モロゴロのコミュニティの一員として、出かける機会も増えていたので、3時間を超える外出のときには、マニキンちゃんと餌を持参した。

餌を与えようとすると羽を広げながら口を大きく開けてくれる。開いた口は赤くてきれいで、高音のピーピー声は心に響くので、親鳥を吸い寄せるような魅力が備わっているようだ。わたしも親鳥のように献身的に餌を与え続けた。羽毛が生え、風切羽や尾羽が生えそろってくると、この鳥がマニキンという種類の鳥（黒、茶、白の3色の小鳥）であることがわかった。

マニキンちゃんが飛び回れるように、カメレオンを飼うために作ってもらったケージに移した。木の棒をわたして止まり木も作った。たまに、木枠に網を張ったケージの上蓋を開けてケージから出し、手乗り文鳥のように遊ばせた。

あるとき、ケージに入れて蓋をしようとしたら、マニキンちゃんが飛び出してケージのふちに止まったため、上蓋がマニキンちゃんを直撃した。

やってしまった……。

せっかく元気に育ってくれたのに……。

内臓が飛び出していても不思議じゃない状況だったので、見るのが怖かったが、意を決してマニキンちゃんを見ると、死んではいなかった。しかし、上蓋に尾羽だけが挟まれて、すべて抜けたショックでぐったりしていた。

よく生きていてくれた。わたしは、祈るような気持ちで、こすって温めた手のひらで、うずくまって声も出ないマニキンちゃんの体を包み込んで温め、落ち着かせようとした。し

ばらくそのまま、半ば、放心状態であった。

そして、生気を取り戻したマニキンちゃんに、泣きながらごめんねとあやまった。マニキンちゃんは、何事もなかったように、まっすぐな目でわたしを見ている。

付け根から抜けたため、尾羽は二度と生えてくることはない。飛べるようになったら、仲間がたくさん遊びにきている家の庭に放そうと決めていた。だが、永遠にその日は来ないのだ。

一時帰国のとき、マニキンちゃんのための鳥のケージとつぼ巣と、フィンチ用の餌を買ってきた。ジャコブは、野生のマニキンが好んで食べる草の実を知っていて、毎朝新鮮な草の実を届けてくれるようになった。

その後、ハタオリドリや、自分より何倍も大きなブルブル（ヒヨドリの仲間で美しい声でさえずる）のヒナやカッコウのヒナに給餌する際、マニキンちゃんが一緒に口を開けて鳴いてくれたおかげで、無事にヒナを育てることができた。

カッコウ

すぐわかる特有の鳴き声と托卵をすることで有名な鳥、カッコウ。夏山をハイキングしたときにカッコウの声を聞いたことはあるが、姿を見たことは一度もなかった。

ある日、シモナが、年季の入った愛車ランクル40で、空き箱に入れた鳥のヒナを持ってやってきた。シモナ夫婦は広大な農園を経営し、輸出用のハイビスカスティーや香辛料を栽培している。この農園で鳥のヒナが落ちていたのを見つけたので、世話をしてほしいと頼まれた。これがカッコウのヒナだった。

それまで、何度も巣から落ちたヒナやけがをした鳥の世話をしてきたことから、モロゴロの外国人コミュニティで、バードレディ（鳥おばさん）と呼ばれるなど、わたしは鳥の世話をすることで知られるようになっていた。

箱に入ったヒナを見ると、ヒナというには体が大きく、ずいぶん口が大きいなと思った。そのとき成鳥になっていたマニキンちゃんの5倍ほどの大きさだった。息子と、そのヒナが何の鳥か図鑑で調べたが、特定することはできなかった。

ヒナの体の大きさからもくちばしの形からも、動物食の鳥であることはわかった。生餌をとってきて与えることはできないため、インターネットで鳥のヒナに与える餌について調べた。すると、キャットフードをお湯でふやかしたものを代用餌として与えることができるという情報を得た。ちょうどネコを飼っており、キャットフードなら家にある。熱湯をかけてふやかし、つぶしてから、平たく切ったストローの先にキャットフードをのせて、ヒナに与えようと試みた。

しかし、ヒナは口を開けてくれない。目が開いているので、親鳥（託卵しているので生みの親ではなく育ての親）以外、しかも人が持ったストローに口を開けるはずがない。そこで、マニキンちゃんの出番だ。ヒナを入れた箱のふちにマニキンちゃんを乗せる。そして、わたしがピーピーと口を鳴らすと、マニキンちゃんは片羽を広げて大きく口を開けて、力いっぱい鳴きながら餌をねだる仕草をする。新入りのヒナじゃなくて、自分を見て！　というアピールだ。それにつられてヒナが大きく口を開けた。そのすきに、キャットフードを口に押し込む。よかった、食べてくれた。ストローに乗せたキャットフードの給餌に慣れるまで、しばらくマニキンちゃんの力を借りた。

成長するにつれて、そのヒナがカッコウであることがわかったのだが、尾羽がないため、体長わずか6センチのマニキンちゃんの存在なしには育たなかっただろう。このころには、ヒナの給餌にすっかり慣れていた娘も、カッコウの世話を手伝ってくれた。

数週間すると、カッコウを、これまで保護した鳥を野生に帰すまでに使っていた、溶接屋で作ってもらい庭に設置した大きなケージに移した。翌朝、屋外のケージで大丈夫だったか様子を見に行くと、元気にしていた。庭で捕まえたバッタをケージに入れるとおいしそうに？パクリと食べた。

広い庭の芝生にはバッタがたくさんいるが、すばしっこいので捕まえるのは簡単ではない。ジャコブがバッタを捕まえてくれたが、バッタを捕まえるのは、週末や学校から帰ってきた子どもたちの仕事でもあった。身をかがめて、瞬時にバッタを捕らえる様子は、肉食獣が獲物を狙う姿のようでもあった。バッタにもいろいろな種類があり、大きかったり、硬かったり、変わった色をしているものもいたが、カッコウはどんなバッタを丸のみしても平気だった。鳥は不思議な生き物だ。とてもかよわそうなのに、硬い昆虫、鱗に覆われた魚、ヘビやトカゲまで丸のみする鳥もいる。カッコウにも、早くからバッタをそのまま与えてもよかったのかもしれない。しかし、親鳥ではないわたしには、こわくて生きたバッタを口に入れる勇気はなかった。

その後、ジンバブエ人の友人のご主人から、釣り用に育てているミルワームを分けてもらった。まるまる太った柔らかいミルワームを見ると、カッコウは目の色を変えて夢中で飛びついた。バッタだけでは栄養のバランスが偏るのではないかと心配だったので、これはありがたかった。帰国の日を迎える直前に自然に返すまで、カッコウは大切な家族の一員となった。

おいしい卵を求めて

わたしは特段に卵好きというわけではない。日本で卵を切らしていても、次の買い物のついでに買えばいいかという程度だ。それなのに、おいしい卵を求めてニワトリ小屋を建てることから始め、ミニ養鶏場のように卵を自家生産するようになった。

モロゴロのスーパーで売られている卵は黄身が白っぽく、ほんのわずかに黄色がかった程度で、日本では当たり前の鮮やかな黄身の卵は手に入らなかった。卵を割ったときの少し生ぐさいにおいも気になった。また、市販の卵には採卵日が表示されていないため、割ってみるまで鮮度の程度がわからない。

放し飼いにされている地鶏の卵だったら、きっと新鮮な卵に違いないと思って、近所のキオスクで地鶏の卵を買ってみた。卵を割ると鮮やかな色の黄身が盛り上がっていて、割高でも今度から地鶏の卵を買おうと決めた。これで卵の心配がなくなったと、地鶏の卵をありがたくいただいていたある日のこと。卵を割ると、ヒナになりかけた物体が出てきた。きっと、あたためている最中の卵だったのだろう。そのときの衝撃から、産みたてという確証がない限り、地鶏の卵に手を出す勇気はなくなってしまった。

しかし、タンザニアでの朝食に卵は欠かせなかった。育ち盛りの子どもたちに栄養を取らせたい一方で、納豆や豆腐などの便利で栄養価の高い加工品は手に入らない。毎朝、安心しておいしい卵を食べるためには、ニワトリを飼うしかない。

ダルエスサラームに住んでいたころ、娘が通っていた幼稚園のアイルランド人の友だちの家の庭に、素敵なニワトリ小屋があったことを思い出した。餌入れも水入れも天井から吊るしてあり、手造りの小屋はにおいもなく清潔に保たれていた。娘は専用のブーツを履いて中に入り、卵を取らせてもらった。その卵のおいしかったことを思い出した。

ニワトリ小屋を建ててニワトリを飼いたいと言うと、夫は、「いいね、やろうよ！」とめずらしく乗り気で、ジャコブも笑顔で賛成してくれた。週末、夫とジャコブはニワトリ小屋の大きさに合わせ、枠組み用の木材、基礎に打つセメント、屋根用のトタン、それにチキンネット（金網）、釘などの材料を買ってきて、立派なニワトリ小屋を建ててくれた。

ニワトリ小屋の裏板には、シロアリなどの虫に食われないように、ランクルのオイル交換で出た廃油を防腐剤として塗った。これはジャコブのアドバイスであった。さまざまな分野での豊富な知識、ぶれない良識を持っており、モロゴロ生活を通してジャコブには頼りっぱなしであった。

黒いヒヨコ

ニワトリ小屋に塗った廃油がすっかり乾き、においが消えるタイミングでヒヨコを注文した。わたしは、どこかでニワトリを買ってきて小屋に入れようと思っていたが、ジャコブによると、成鳥を買うのではなく、採卵鶏のヒヨコを注文しなければならないということであった。ジャコブの案内でモロゴロホテル近くの、ヒヨコ仕入れ業者のところにヒヨコを注文しに行った。

ニワトリ小屋はもう完成している。その中で10羽のニワトリがのびのびと過ごし、毎朝、卵を何個か産んでくれる。新鮮でおいしい朝採り卵への道もあと少しだ。ヒヨコを買いたい旨を伝えると、採卵鶏のヒヨコの注文は、50羽単位でしか受け付けていないという。想定していた5倍の数に躊躇したが、50羽のヒヨコを注文した。

注文してからヒヨコが届くまで2週間かかった。指折り数えて待ったその当日、ジャコブと一緒にヒヨコを引き取りに行った。ピヨピヨと鳴く、ふわふわの黄色いヒヨコたちとの感動の対面のはずだったが、箱の中をのぞいてみると、黄色ではなく真っ黒のヒヨコだった。初めて見る黒いヒヨコに驚いたが、肉用鶏のヒヨコは黄色いが、採卵鶏のヒヨコは黒なのだそうだ。よく見ると、不安そうに身を寄せ合って、ピヨピヨと鳴いている黒いヒヨコたちがかわいく見えてきた。

ジャコブは、1か月間は外気の当たらない車庫の中に電球を低く吊るし、その熱でヒヨコを温める必要があると言う。ヒヨコたちを入れたダンボール箱の真ん中に電球を吊るすと、ヒヨコたちは電球の下に集まり、身を寄せ合った。まだ親鳥の羽毛の下で兄弟一緒に温めてもらって過ごす時期なのだ。まだからっぽのニワトリ小屋にヒヨコたちが入る日が待ち遠しかった。

1か月もたつと、ヒヨコたちのふわふわとした羽毛はしっかりした羽となり、首と足がすらりと伸び、ヒヨコっぽさが取れ、ニワトリらしくなってきた。そして、ジャコブから、ニワトリ小屋に移すOKが出たので、段ボール箱に数羽ずつ入れて、ニワトリ小屋に放した。

すると魔法がかかったように、ニワトリ小屋に生命が吹き込まれ、わたしたちは皆、うっとりとニワトリ小屋を見つめた。ニワトリ小屋だけでなく、庭じゅうが活気づき、犬たちもネコも、ニワトリ小屋のまわりに集まってきた。

卵を産み始めるのはまだまだ先だが、生命力に満ち満ちた50羽の真っ黒のニワトリたちの存在感は圧倒的であった。

ニワトリにワクチン!

ジャコブから、ニワトリにワクチンを打つ必要があると言われた。獣医さんが1羽ずつニワトリにワクチンを打つ絵が頭に浮かんだが、スワヒリ語で「ワクチンを打つ」というのは、ワクチンを水に混ぜて飲ませるという意味だった。

町にある農家向けの店に売っているというので、ジャコブと一緒にワクチンを買いに行く。お店の人は、奥の冷蔵庫からワクチンを取り出してきた。これを何リットルかの水に薄めて飲ませるという説明は、ジャコブにしっかりと聞いてもらった。

このワクチン1本は、何百か何千羽のニワトリに十分な量らしく、もったいないと思ったが、飼うからには、50羽でも養鶏場並みの手間が必要なのだと理解した。地鶏と違って、採卵鶏はきっと病気になりやすいのだろう。その後も定期的なワクチンの接種が必要だということで、ジャコブがノートにつけて管理してくれることになった。

バケツに水とワクチンを入れ、規定量に薄めたものをニワト

リ小屋の水入れに移した。すべてのニワトリが水を飲むまで半日置いておく。ニワトリさんたち、病気にならないでね！

念願の自家製卵

ニワトリの餌が少なくなると、家の前の道を1キロメートルほど下ったモスクの近くの飼料屋に、ジャコブと買い出しに行った。ニワトリの餌は50キロ入りの袋で売られていて、成鳥の餌は採卵鶏用と肉用鶏用とに分かれている。餌には米ぬかや魚粉が入っていて、とてもよいとはいえないにおいがランクルの車内にしみついてしまった。ニワトリが成長するにつれ食べる量が増えたため、毎週のように餌を買いに行った。

ある朝、ジャヌアリが、ニワトリが卵を産んだと教えてくれた。待ちに待った産みたての卵だが、すごく小さかった。ジャヌアリは、若いニワトリの卵は小さいが、成長するにつれて、卵はだんだん大きくなるのだと教えてくれた。産みたての卵を割ってみると、売っているのよりうんと黄身が黄色いし、白身も盛り上がっている。さっそく、目玉焼きにすると、家族みんな自家製卵のおいしさに感動した。より健康で黄身の濃い卵のために、ニワトリに配合飼料だけでなく草を与えようと、ジャコブはニワトリが好んで食べる大量の草を、毎朝抱えて持ってきてくれるようになった。

最初の1羽が卵を産み始めると、だんだんほかのニワトリも卵を産み始めるようになり、スタッフにも分けることができた。1日20個以上になることもあり、余った卵は、ブルーナや友人に気前よくあげていたが、餌代がかさんできたため、餌代分だけいただくことにした。

わたしが幼いころ（昭和40年代！）、母の買い物について行った思い出のなかでも、卵屋さんでの買い物はとてもよく覚えている。母が、10個ほどの卵を買うと、卵屋のおじさんが新聞紙を広げ、まず1個のせてくるっとまき、新聞でくるまれた卵の左右に1個ずつ卵をのせてまたくるっとまく、というやり方で割れないように卵を包んでくれた。あざやかに卵を包む手つきを、熱心に見ていたのだと思う。その記憶から、人にあげたり、キャンプに持っていくときは、卵屋のおじさんがやっていた方法で卵を包んでいた。

今思えば、育ち盛りの子どもたちには、毎朝、卵を2個使ったオムレツを作ってあげてもよかった。しかし、卵は一人1個ずつと決めていた。自分の家で飼っているニワトリの卵なので、何個食べようと自由だが、タンザニアの普通の家庭では毎日卵を食べられることはあり得ない。毎日1個だけでも、十分にぜいたくなことであった。

日本にいると、罪悪感なしに卵を2個でも3個でも好きなだけ食べることができるのだが、ニワトリを病気から守り健康に育て、安心して食べられる卵を生産することの大変さを知ったので、特売の卵を目にしても喜べなくなってしまった。

食用のニワトリ

採卵鶏を飼い始めたことで、安心しておいしい卵を食べることができるようになった。自分の庭で、栄養のある食べ物を生産できたことも大きな喜びだった。採卵鶏のヒヨコは真っ黒で驚いたが、大きく成長した黒いニワトリたちは、とても立派でたくましく見えた。

あるとき、肉用鶏（ブロイラー）のヒナが2羽手に入った。ヒヨコらしく黄色いふわふわの羽毛に包まれたヒヨコたちはとてもかわいかった。ジャコブによると、3か月もすれば食べられるということだ。かわいいヒヨコたちを見ていると、食べることができるとは思えなかった。

飼ってみると、ブロイラーのニワトリは、採卵鶏とはまったく違う生き物だということがわかった。採卵鶏は人や動物に興味を示し、庭を歩き回って虫を探したり、青菜や残飯を持っていくと喜んでかけ寄ってくる。

しかし、ブロイラーのニワトリは周りのことにはまったく無関心で、一日中餌を食べ続け、餌箱の前から動こうともしないのである。あまりの食欲旺盛ぶりに驚いたが、動かずに食べ続けるものだから、あっという間に大きくなった。とうとう体が重くなって、ヨタヨタと歩くことしかできなくなった。早く食用にするため、餌を食べ続けるように改良されているのだろう。動けないくらいに太ってしまって、それでも餌を食べ続ける姿は怖くもあり哀れでもある。やっぱり肉用のニワトリなのだと納得して食べることにした。

ニワトリを飼うには手間もかかるし、餌代だってバカにならない。卵はできるだけ長く産み続けてほしいが、肉にするのなら早く大きくなってくれたほうが経済的だ。採卵鶏と肉用鶏を飼ったことで、生き物も人間の利益に沿うように改良されていることを実感させられた。

タンザニア人が飼っている地鶏は、放し飼いにされていて、産んだ卵は食べることもあるし、ニワトリの数を増やしたいときはそのまま親鳥に温めさせている。お祝い事や客人のもてなしの際には、立派な雄鶏がごちそうとなる。地鶏が産む限られた卵を栄養が必要な人に食べさせ、雄鶏を特別なごちそうとする人々の食生活は、とても尊いものに思われた。

子どもが学ぶべきこと

早いときで1時、遅いときでも3時にインターが終わるため、午後の時間は長かった。夕食までの時間、子どもたちがやっていたことといえば、

- 本を読む（わたしの両親が毎月日本から送ってくれた「科学と学習」を愛読していた）
- 折り紙を折ったり、将棋やチェスで遊ぶ（折り紙は今も息子の趣味）
- 犬（またはサルやモルモット）と遊ぶ
- 飼っている生き物の世話（犬に餌をやったり、鳥の餌にするバッタを捕まえたり、ニワ

トリに残飯や草を与える。食べさせることは今も娘の趣味）
■庭でサッカーや自転車で遊ぶ（暑いので夕方）
■夕食の用意の手伝いをする
■テニスレッスン
■学校のプールへ泳ぎに行く（暑い季節）
■友だちの家に遊びに行ったり、友だちが遊びに来てくれたりする
■おやつを手作りする

だいたい、こんなものだろうか。

モロゴロ時代は、子どもたちは暇な時間をそれぞれ、読書や外遊びのほか、お手伝いなどをして過ごしていたのだが、日本に帰国すると、いきなり狭いマンション生活だ。お手伝いさんがいないのに、むしろ家事に費やす時間は短くなった。料理も掃除もあっという間に終わるため（わたしのおおざっぱな性格もあるが）、子どもに手伝わせる仕事がほとんどなくなってしまった。それでも、外遊びやスポーツ、宿題や読書など、ゲームに頼ることなく、暇な時間を過ごさせるように気をつけていた。

当時、モロゴロでも、インターに通う子どもたちの間では、日本のニンテンドーゲームが流行っていた。自然に囲まれた豊かな環境であっても、日中の屋外は暑いし、出かける場所は限

られている。近所に行くのでも家のゲートを一歩出ると車で移動するしかなく、自由であるようで不自由な環境だ。外国人には変化が少ない世界なので、子どもたちがゲームに夢中になるのもわかる。

だが、ゲームは、際限なく貴重な時間を奪い、過度な興奮を子どもに与え、身体機能や視力を衰えさせてしまう。ゲームの世界は、あくまでもバーチャルであり、受動的な刺激による満足は長続きせず、より強い刺激を求めていくことになる。本当の満足感や達成感は、バーチャルの世界で得られることはなく、プログラミングされた世界で想像力を育むことは難しいだろう。

タンザニアの多くの子どもたちは、水汲みや薪運び、学校から帰ると子守や畑仕事などを手伝っている。子どもたちが水や薪を頭にのせ運ぶ姿を見て、以前はかわいそうだとしか思えなかった。もちろん過度な子どもの労働はよくないが、親が畑を耕し、日々の糧を得るために必死で働いているなか、それぞれの年齢でできるお手伝いをすることは尊いことだと思うようになった。

子どもが小さいうちは、はっきりとやるべきことを親が示せば、疑いもなくそのとおりにやるものだと思う。手先や身体を動かす労働は、いやなもの、つらいものではなく、身体を動かし汗を流して食べ物を口にすることは、人として大切なことだと親が教えてやることが必要だ。人も生物である以上、財産や身分にかかわらず、生きるために食べなければならない。本来、食べるものを手に入れることは、容易なことではないのだから。

シマウマの親子

動物の子育てのゴールは子の巣立ちといえるだろう。巣立ちするとは、子が親に頼らず自力で食べて（生きて）いけるということだ。

動物の子育ての姿からは、子孫を残したいという本能だけでなく、親が守れないときでも、子が自分で危険から身を守ってほしいという愛情もあるように感じられる。子どもが小さいころはかわいいものだが、生まれたときから、かわいいと思う一方で、いやかわいいと思うからこそ、自立できるようにしなくてはならないのだ。

セレンゲティのサファリで目にした忘れられない光景がある。

シマウマの親子がいた。シマウマの仔は生まれて間もなく、まだ速く走れないので、うまく母親についていくことができないでいた。しかし、母親はそのとき、遅れずに走れとばかりに、後ろ脚で仔を蹴ったのだ。シマウマの仔はそれから必死で母親についていった。

甘やかしていては、肉食獣から逃げることはできない。厳しい自然のなかで生きていくためには、群れに遅れないように、生まれたらすぐ、できるだけ速く走らなければならない。

かわいい子どもを後ろ脚で蹴飛ばすような厳しさ（体罰ではなく！）を、わたしは持ち合わせているだろうか。

厳しい自然のなかでの野生動物の子育て、シェルターも武器も何も持たず、生まれながらに備えている知恵と勇気によって、ときには自らを犠牲にしてでも、巣立ちのときまで子どもを守り育てる動物の親の姿には、畏敬の念しかない。

日本の勉強

ダルエスサラームには日本語補習校があり、日本から派遣された先生のもとで日本の教科書を使って勉強できるが、モロゴロにはインターナショナルスクールしかなかったので、帰国したときに困らない程度には、日本の義務教育に準じた勉強をさせる必要があった。

モロゴロ生活は2年の予定だったが、夫の仕事が2年追加され、4年いることになった。娘も息子もやっとインターに慣れてきたところなので、もう少し長くタンザニアで過ごせることはありがたかったが、やがて日本へ帰る日が来る。帰国しても困らないように、何も予定のない土日や休日の午前中は、ベランダで日本の勉強をすることを習慣とした。

朝の庭にはいろいろな鳥がやってくるので、珍しい鳥がくるとすぐに勉強は中断され、テーブルに置いてある双眼鏡で鳥の観察が始まる。ピンテイルドワイダという鳥は、オスの尾羽が体長（約12センチ）の3倍ほどもあり、上下にダンスするようにメスの周りを飛びまわるのだが、メスはオスのダンスには目もくれず、ひたすら庭で草の実をついばんでいた。サワーソップの実を食べにきていたマウスバードという鳥は、その名のとおり、ネズミのように足を使って枝を移動し、飛ぶ姿は始祖鳥を思わせた。ラブバードやヤマセミやサンバードのほか、ごくまれにフィシュイーグルやグラウンドホーンビルといった鳥がやってくることもあった。

海外在住の義務教育の年齢の子どもには、海外子女教育振興財団に申し込むと、毎月、簡単なテキストが送られてくる。通信教育の形式なので、教科ごとにテスト用紙に記入して日本に送り返すのだが、娘も息子も、一度も嫌がることなく、むしろ楽しんでやっていた。テストもごく簡単なものなので、あっという間に終わる。子どもたちが苦戦していたのは、月に一度送り返す各教科のテスト用紙に、担当の先生への短いお便りを書くことだった。モロゴロで過ごした4年間、その月にあった出来事を思い出して、１００字程度で手紙形式の文章を書いたことは、とてもよい作文の練習になっていた。

この通信教育のテキストのほかには、漢字が書けないと帰国してから困るので、漢字ノートに1ページだけ漢字を書かせていた。文字を書くのが好きな娘は何ページでもきれいな字で漢字を書くことができたが、先生へのお便りが書けなくて泣いたことがある。一方、息子は、先生へのお便りを書くのは好きだったが、漢字を書くのが嫌で泣いたことがある。二人の個性は今でもあまり変わっていない。

娘は中2、息子は小6の夏に帰国したのだが、このような最低限の勉強だけでも、日本の学校に戻ったとき、勉強に関してはそれほど困ることはなかった。

必要最低限

日本のように欲しいものや必要なものが手に入らなかったモロゴロの暮らしのなかでは、何事においても創意工夫が必要だった。

「モノがなくて大変だったでしょう」と、思われるかもしれないが、消費社会の日本と違い、何か欲しいとか、ショッピングに行きたいとかいう発想が生まれない。物欲を感じずにすむことは、ストレスがなくて、かえってすっきりするものである。

しかし食べ物に関してはどうしてもあれが食べたいなあと、ないだけにいっそう思いが強くなった。人それぞれ、食べ物への執着は異なっていて、味噌や納豆を作る人や、種を持ってきて大根や白菜を育てるような人もいた。

パン好きなわたしの場合は、パン焼き器で食パンを作るだけでなく、パン生地を作って、ソーセージロール、コーンマヨパン、ピザパン、そしてシナモンロールなどを作った。シナモンロールは大好物で、作る工程が楽しく、しかも簡単でおいしくできるので何度も作った。パン焼き器で作った生地を麺棒で伸ばし、シナモンと砂糖（どちらもタンザニア産）を振りかけて、レーズン（アメリカ産）を散らし、くるくる巻いてから八等分にカットすると、ロールケーキ状の渦巻き模様があらわれる。オーブン皿に並べて卵を塗り、きつね色に焼いた後、粉糖（イギリス産）を溶かしたアイシングをかけて完成！　ちなみに、小麦粉はタンザニア産、卵は自家製だが、バターはニュージーランド産で、イーストは日本でもよく見かける、シェフ印のフランス産であった。

こうして思い出してみると、けっこう輸入品を使っていたのだが、モロゴロの唯一のスーパー（コンビニより小さかった）で、これらの輸入品をすべてそろえることができた。モロゴロで暮らしている外国人にとって、最低限必要とするものがそろっている「ピラズ・スーパーマーケット」の存在は大変ありがたかった。

最低限必要なものと書いていると、ディズニー映画の『ジャングル・ブック』でバルーが歌う、「The Bare Necessities」の歌が脳内に流れてきた。最低限のもので気楽に生きていこうと陽気に歌っているが、なかなか含蓄のある歌詞だ。楽しく気楽に生きていくためには、本当に必要な最低限のものと、ちょっとした知恵と工夫があればいいのだ。

氾濫するモノや情報のなかから、本当に必要なものを探し出すのは、モノがない世界で生きるよりはるかに難しい。モノがないなかで生きる知恵は、昔から蓄積されてきたし本能的に備わっているものだ。しかし、モノや情報があふれた世界で、どうやって生きていけばいいかという知恵は誰も教えてくれない。

ケーキ作り

わたしはお菓子作りは得意ではないが、日本では簡単に買えるようなケーキやお菓子などは売られていなかったので、誕生日とかクリスマスとか、特別な日にはケーキを手作りしていた。

わたしのケーキ作りを手伝っていた娘は、自分にもできると思ったのだろう、ケーキを自分で作りたいと言い出した。実は、分厚いお菓子作りの本を日本から持ってきていたのだ。何十種類ものおいしそうなケーキのカラー写真がついていたが、わたしが作るのは決まって簡単なレシピのケーキだけだった。ケーキ作りの主な材料は、小麦粉、砂糖、卵、バターである。小麦粉と砂糖はタンザニア産のものが手に入るし、卵は自家製の新鮮な卵を使うことができる。バターはニュージーランドからの輸入品がスーパーで売られていた。

何も予定のない週末や学校の休暇中となると、暇を持て余してしまうので、ケーキ作りは娘にとって、最高の時間の過ごし方のひとつとなった。おおざっぱな母親と違って、丁寧に材料を量り、きっちりと作業をする娘が作るケーキは、見た目も美しく、とてもおいしかった。一品持ち寄りのパーティーや、友人を招待したときに、娘のお手製ケーキが登場するようになり、狭いモロゴロのコミュニティでは、娘のケーキ作りの評判はあっという間に広がった。学校やイベントで会った人たちは、娘にケーキの味をほめてくれた。

モロゴロでは、外国人の子どもが通う学校はモロゴロ・インターナショナルスクール一校だけで、生徒数も多くはない。日本人である娘は、もちろん認識はされていたが、ケーキ作りを始めるようになって、大人から話しかけられるようになった。ケーキを作ること一つでも、人間関係に大きく影響するのだと感じた。

個性がはっきりしていない人は、どんな人かわからず相手を不安にさせることがある。日本人だから相手にしてもらえないのではなく、口数が少なく、個性を表に出さない傾向にあるため、何を考えているかわからないから近寄りがたいと思われるのかもしれない。

娘の場合、当時すでに、外国人と堂々と話せるほどの英語力が身についていたが、英語力はコミュニケーションにそれほど役に立たなかった。だが、ケーキ作りをとおして、笑顔で話しかけてくれる人が増え、娘も狭いコミュニティのなかで居場所ができたようだ。

「国際人」を育てるには、まず、一人ひとりの個性を尊重することが大切で、英語力は、何か発信したいというときに必死で頑張ればなんとかなるものだ。英語が苦手というのも一つの個性と認め、それ以外の力を伸ばせばよいと思う。

サバンナモンキー騒動

タンザニア人の少年がサバンナモンキーの赤ちゃんを売りに来ていると、ジャコブから聞くや否や、わたしの足は家のゲートに向かっていた。ゲートの外で、7~8歳の少年がサバンナモンキーの赤ちゃんを抱きかかえて立っていた。親からはぐれたというのだが、そんなことってあるのだろうか。外国人のわたしに売りつけようとしているのだろうが、野生動物を売買することは違法である。また、お金を出して買う人がいるとわかると、それに味をしめて積極的に野生動物を捕獲しようとするかもしれない。

この赤ちゃんザルは小さくてまだ母親のお乳が必要だろう。売りに来た少年たちに育てられるとは思えない。そこで、野生動物の売買は禁止されているから、このサルを買うことはできないと説明した。そして、ミルクを買って赤ちゃんザルを育てられるのかと尋ねると、そんなお金はないので育てられないという。では、わたしにこの赤ちゃんザルを育ててほしいのかと聞くと、そうしてほしいというので引き取ることにした。

赤ちゃんザルは人を怖れることなく、しっかりとしがみついてきてかわいいものだった。これなら育てられるだろう。人間の赤ちゃん用の粉ミルクを買ってきてお湯で溶き、お皿に入れて赤ちゃんザルに与えるとおいしそうに飲んでくれた。鳥やモルモットの飼育用にジャコブとサファリ（ジャコブとジャヌアリの交替要員として雇っていた）が作ってくれた小屋が空いていたので、そこで赤ちゃんザルを育てることにした。サファリは、赤ちゃんザルが登れるように木の枝を渡し、ブランコらしきものまで作ってくれた。赤ちゃんザルは、わたしがミルクをやりに小屋に入ると大喜びし、小屋から出て行こうとすると、キーキー鳴いて嫌がるほどなついてくれた。

赤ちゃんザルは順調に育ち、バナナやウガリも食べるようになったので、日中は庭に放すことにした。犬猿の仲といわれる犬たちと最初に対面させるときはドキドキしたが、犬が襲おうとすることもなく、サルが逃げ出すこともなく、無事に庭の生き物たちの仲間として受け入れられた。

そのうち赤ちゃんザルは、毛が生えているせいか人よりも犬のほうが気に入ってしまい、犬を見ると、背中に駆け上ったりお腹にしがみついたりするようになった。犬が寝ていると一緒に寝て、犬が歩き出すと背中やお腹に飛び移ってしがみつく様子は微笑ましかった。

ある日、息子は庭で赤ちゃんザルを抱っこしていたのだが、赤ちゃんザルは犬を見ると犬の方に飛び移ろうとした。息子が赤ちゃんザルを引き止めようとしたとき、赤ちゃんザルは息子の指をかんでしまった。

大した傷ではなかったのだが、指からわずかに血が出ているのを見て、映画『アウトブレイク』を思い出し、背筋が凍りつきそうになった。すぐにネットで、野生のサルにかまれることで発症する病気を調べると、エボラ出血熱に罹るような恐れはないが、一番のリスクは狂犬病ということであった。一か月以上飼っていたので狂犬病の恐れはないと思ったが、念のため、夫が息子を狂犬病のワクチンの追加接種を受けに連れて行ってくれた。

わたしは、かわいがってきた赤ちゃんザルが息子をかんだことに怒りをおぼえると同時に危険を感じ、赤ちゃんザルを自然に帰すことにした。家のすぐ近くにロックガーデンという場所があって、そこには木々がうっそうと生い茂っており、よくサバンナモンキーが遊びに来ている。その近くに赤ちゃんザルを置いておけば、乳ばなれするまで育ったので、仲間と一緒に暮らしていけるだろうと思ったのだ。

わたしは赤ちゃんザルを抱いて家のゲートを出ると、2分ほど歩いてロックガーデンの前に来た。大きな岩の上に赤ちゃんザルを置いて離れようとするが、赤ちゃんザルは不安がってわたしにしがみついてくる。無理に赤ちゃんザルを引き離そうとすると、キーキーと大声で鳴き叫ぶ。何度かそれを繰り返していると、木々のざわめきが聞こえ始め、サバンナモンキーの群れが近づいてくる気配を感じた。10匹、いやそれ以上の群れかもしれない。

サバンナモンキーは大型のサルではないが、鋭い歯を持つ体長50～60センチにもなる大人のサルを怒らせたとしたら恐ろしいことになる。サバンナモンキーの群れがどんどん近づいてくる恐怖のなか、必死でわたしにしがみついている赤ちゃんザルを思いっきり引き離して岩に置くと、全速力で走って振り返ることなく家に戻った。

赤ちゃんザルとあのような別れ方をしてしまったことは残念であったが、まだ小さくてかわいい時期のほうが群れに受け入れられやすかっただろう。野生に帰すためのよいタイミングだったのかもしれない。

ブッシュベイビー

いつものようにジャヌアリと朝の挨拶をしていると、明け方、ブッシュベイビー（ショウガラゴ。夜行性の小型のサル）の赤ちゃんが落ちていたのを拾ったという。ブッシュベイビーは、ヤシの木の樹液からできる酒を飲みに来ると聞いたことがあるが、酔っ払って落としたのだろうか？

わたしはわくわくして、ブッシュベイビーの赤ちゃんをジャヌアリから受け取ろうとして、驚いた。ブッシュベイビーの赤ちゃんは、指にしがみつけるほど小さく、体が冷えてしまうことを心配したジャヌアリは、外のケージで飼っていたサバンナモンキーの赤ちゃんに抱かせていたのだ。サバンナモンキーもまだミルクを飲んでいる赤ちゃんだったのだが、ブッシュベイビーがあまりにも小さいので、まるで親子のようだった。さすが動物に詳しくてやさしいジャヌアリだ。

ブッシュベイビーをペットとして飼えたらどんなにか素敵だろう！　とにかく目が大きくて小さくてとんでもなくかわいいけれど、生まれたばかりなので、スポイトでミルクを飲ませて無事に育てられるだろうか。

ジャヌアリによると、ブッシュベイビーの親は絶対に子どもを捜しに来るから、そのときに赤ちゃんを返すことができるという。ブッシュベイビーの赤ちゃんを抱いたサバンナモンキーの赤ちゃんを、娘と息子が交互に抱っこしていると、ジャヌアリが、庭の奥にあるヤシの木にブッシュベイビーの親が来ているという。かなり心が揺れたけれど、ブッシュベイビーの赤ちゃんをジャヌアリに手渡し、ジャヌアリが親に返すのを見届けた。

初めて見るブッシュベイビーのかわいさに魅了され、次に、飼ってみたい気持ちと親に返すべきという気持ちが、激しくせめぎ合っていたため、ブッシュベイビーの赤ちゃんとサバンナモンキーの赤ちゃんが抱き合っているという、誰も撮ったことがないであろうスクープ写真を撮るという考えは浮かばなかった。なぜ写真に残さなかったのか後悔する場面がいくつもあるのだが、これは中でもトップ3に入る場面である。

ストロベリーフィールド

ウルグルの山にはいちご畑があり、いちごのほか、グースベリーやマルベリーやラズベリーの木もある。ドイツ植民地時代に、モロゴロに住んでいたドイツ人が祖国から苗を持ってきて植えたのだと聞いた。

モロゴロは海抜約５００メートルで、ダルエスサラームより涼しく、山の上はさらに冷涼な気候だ。キャベツやレタスやニンジンのほか、セロリ、ルバーブ、ビーツなどの西洋野菜、ネギ、コリアンダーやミントなどの香味野菜など、多くの商品作物が栽培されている。山で収穫したばかりの、10種類ほどの野菜が入った大きなかごを頭にのせて、麓の外国人家庭をまわる野菜売りがいる。野菜売りが来てくれた日は、野菜市場に行くことなく、朝採りのみずみずしい野菜を買うことができた。

たまに、いちご売りの若者がやってきた。バナナの葉を敷いたプラスチックのタッパーに、きっちりといちごや他のベリー類がつめられている。モロゴロの山で採れたベリー類は、バスに乗ってダルエスサラームまで売りに行くこともあるそうだ。ダルエスサラームまでのバス代が上乗せされないぶん、安いし、何より朝摘みの新鮮なベリー類が手に入るのはありがたかった。

ベリー類が手に入るとすぐにジャムを作った。日本のいちごは大きくて甘いが、モロゴロのいちごは小粒で甘みは少なく酸味が強い。そのため、ジャムにするといちご本来の味が際立ち、日本のいちごで作るよりおいしいジャムができた。スーパーでイギリスやフランスから輸入したジャムを買っていたが、ジャムを作るようになってからは、甘すぎて本来の味が感じられない市販のジャムは食べなくなった。

タッパーいっぱいのいちごをボウルにあけて、子どもたちと、虫食いや傷んだいちごを取り除く作業も楽しかった。いちごに砂糖をまぶして少し待ち、水分が出てきたところで鍋を火にかける。たちまち家中に甘酸っぱいいちごの香りが漂い、その香りは魔法のように家族を笑顔にし、モロゴロの生活に彩りをそえてくれた。

ウルグルの山の中腹まで何度か登ったことがあり、開墾された畑で野菜やバナナなどが栽培されているのを目にしたが、そこにいちご畑がある風景を想像できなかった。いちご畑を見てみたい。そして、家族でいちご狩りをしたいと思った。

そこで、いちごを売りに来た青年に、「いちご畑に行きたい。できれば、自分たちでいちごを摘みたい」ともちかけてみた。すると、青年は戸惑ったような表情をした。意味が呑み込めないというか、目的が理解できないようだった。

タンザニアには、いちご狩りやブドウ狩りのような観光農園がないのだから仕方がない。スワヒリ語を駆使して、子どもたちにいちご畑を見せてあげたい。そして、一人あたり何千シリングかを支払うから、いちごを摘ませてほしいということを何度も説明した。現金が手に入ることで、それならいいだろうということになった。注文すれば好きなだけ持ってくるのに、いちごを摘みにわざわざ山に登るなんて、変わった外国人だと思われただろう。いちご狩りをしたのは、後にも先にもわたしたち以外いないと思う。

ウルグルの山は意外と険しい。登山道があるわけではなく、ほとんどまっすぐに生活道である山道が続き、ところどころ傾斜が30度はあろうかという斜面を登らなければならない。民家が点在していて、家の前や裏庭を通るたびにあいさつすると、ほとんどの人が感じのよいあいさつを返してくれる。

ウルグルの山を登るには、事務所で許可をもらい、案内人をつける必要がある。わたしたちはモロゴロの住人だったが、山の中ではよそ者の外国人なので、必ず、ジャコブか彼の知人に同行してもらっていた。

いちご畑までたどり着く途中、キャベツやニンジンなどの野菜畑やバナナ畑があり、林を切り開いて畑を拡大している様子を目にした。ウルグルの山は冷涼な気候だけでなく、清らかで豊かな水の恵みもあり、農産物を栽培するのに適しているのだ。そのため、森林が伐採されていくという深刻な問題があるのだが、炎天下の傾斜地で、汗水たらしてクワをふるう人々を目にすると、環境問題を涼しい部屋で語るだけではわからない現実について、考えさせられた。

わたしたちは、山道を3時間かけて登り、いちご畑にたどり着くと、たくさんのいちごやマルベリーを摘ませてもらい、満足して山をおりた。

原始人か！

夫が地方の出張先から、紙袋いっぱいのマカダミアナッツをお土産に買ってきてくれた。ハワイのお土産チョコで有名な、ちょっとぜいたくなミックスナッツに入っている、白くて丸っこい濃厚な脂肪分を含むナッツだ。

持ってきてくれたマカダミアナッツは殻付きだった。初めて目にする殻付きのマカダミアナッツだが、世界一硬い殻を持つ木の実といわれている。硬すぎることから専用の殻割り器というものがあるそうだ。夫が工具箱から取り出したハンマーで殻をたたいて割ってくれると、中から白い実が出てきた。甘く濃厚なナッツの味は、食べ物の種類の少ない生活に新鮮な感動を与えてくれた。

ころころした丸いナッツの殻をハンマーで割るのは簡単ではない。ハンマーを振り下ろすとき力を入れすぎると中のナッツがつぶれるため、専用の道具があるのも納得できる。夫が割ってくれるのを待つのに飽きた子どもたちは、殻付きのままのナッツを持って庭に出ると、適当な石を探しだしてナッツをたたき始めた。

岩の少しくぼんだところにナッツを置くことで滑りにくくし、できるだけ硬い石を探してきて真上から振り下ろす。石を持つ手はできるだけ高く上げないと強い力が加わらないなど、少しずつ学習しながらうまく割れるようになった。苦労して自分で割ったナッツを大事においしそうに食べている。石で木の実を割る姿は、まさに原始人の姿を思い起こさせた。

そのままでは食べられないものを口にするため、手に入る道具を利用し必死で身体や手先を使うというごく自然な行動。お金で何でも手に入る時代だが、食べるための本能的な行動は原始時代から、いやその昔から、変わらず引き継いでいるのかもしれない。

肉フェス

モロゴロに住んでいる日本人は少なかったので、日本人同士の交流や子どもたちの社会性を育てるために、しばしばわが家で夕食会を開いた。客人の一人から、ウザワ家で出される肉の量がすごかったと言われたことがある。なぜならメイン料理はたいてい、スペアリブ、タンドリーチキン、牛肉の串焼きなどを前日から大量に仕込んでおき、炭火焼のＢＢＱでどんどん焼くというものだったからだ。それに、おにぎり、サラダ、デザート、お酒まで用意するのだから、準備と後片付けに要するエネルギーはかなりのものだった。

子どもたちは、香り高く濃厚な味だが、とても小さくてむきにくいニンニクを大量にむかされる。フライを作るときは、息子が小麦粉をはたき卵液に入れ、娘が丁寧にパン粉をまぶす。テーブルのセッティング、お皿運びから後片付け、それに10か所以上に蚊取り線香を設置するなど、文句ひとつ言わずによく手伝ってくれた。働いたあと、おいしいごちそうと楽しい食事会が待っているのと、変わり映えのしない日常が活気を帯びるのがうれしかったからだろう。わたしは夫と子どもたちに指示を出しながら、レストランの支配人のごとくよく動いた。

たくさんの肉はみんなで食べてこそおいしく頂ける特別な食べ物だと思っていた。残るほど大量の肉を用意したのは、客人に遠慮なく食べて欲しいし、たまには子どもたちにも思い切り肉を食べさせてあげたかったからだ。スタッフに渡すお土産もできる。庭でのBBQでは、犬たちもお相伴にあずかることができた。残りものは、翌日のおかずにし、残飯は犬やニワトリの餌にした。

ここ数年だろうか、「肉フェス」という言葉が定着してきたが、わが家ではずいぶん前に、「肉フェス」を開催していた。

バニラビーンズ

甘く濃厚なバニラの香り。バニラエッセンスは子どものころから知っていたが、バニラビーンズの存在を知ったのは大人になってからだ。黒いさやに入った、直径1ミリにも満たない漆黒のつやつやした粒。日本では製菓コーナーなどで、1本500円以上で売られている。バニラビーンズは豆のさや1本としては、もっとも高価なものだろう。

夫のプロジェクトの一つでバニラを栽培することになり、地方から挿し木用のバニラの茎を入手したという。そこで、バニラの成長を観察するため、家の庭でも4～5本育てることにした。

ジャコブは、モロゴロの外国人の友人から、「グリーンフィンガーズ」と呼ばれるほど植物の世話に長けていた。彼の手にかかると、どの植物も生き生きと育つので、みなジャコブを尊敬の目で見るようになっていた。バニラの栽培についてもジャコブに相談すると、モロゴロの山でバニラを栽培している農家に栽培方法を聞きに行ってくれた。

バニラはラン科バニラ属のつる性植物で、葉や茎を見ると確かにランそのものであった。つる性なので支えとなる支持植物が必要となる。そこで、庭にあるヤシの木やマンゴーの木の根元にバニラの苗を植えてもらった。ジャコブのおかげでバニラの挿し木は順調に根づいてくれ、ジャックと豆の木のつるのようにぐんぐん上へ上へと伸びていった。花が咲くのは1年に1回。わたしたちは、花が咲くのをわくわくして待った。

バニラの花が咲くと、その日の午前中に受粉しなければ実にはならないそうだ。朝日を浴びて開いた薄い黄緑色のバニラの花からは、甘いバニラの香りが漂ってくると思っていたのだが、まったくの無臭であった。

バニラの花が次々と咲く2～3週間、受粉が毎朝の日課となっていた。バニラの原産は、中央アメリカらしいが、マダガスカルが主産国として有名である。モロゴロにはポリネーターと呼ばれる受粉を担う昆虫がいないため、手で受粉しなければ何百個花をつけても結実する可能性はゼロである。最初に花が咲いた年に、インターネットで調べた方法で受粉を試みたが、収穫できたバニラのさやはたった1本だけであった。

翌年、バニラの花が開花したとき、ジャコブはバニラの栽培方法を教えてもらった農家に受粉の方法を聞きに行ってくれた。しかし、受粉した翌日に花が落ちているのを見て、すぐに教えてもらった方法は間違いだとわかった。受粉できなかった花は翌日には落ちてしまうが、受粉できた花はさやになる子房から離れることはない。バニラ農家の説明がわかりづらかったのかもしれないし、受粉の方法はシークレットだったのかもしれない。あるいは、技術料を要求されていたのかもしれない。

つぼみはたくさんあるので、毎朝20〜30個の花が咲き続けるだろう。わたしたちは、バニラの花を縦に切り開き、中の構造を調べてみた。すると、葯幅という部分が蓋のように花粉を覆っていることがわかった。謎が解けたことで、さっそく、クリップの先で葯幅の部分を伸ばして受粉させてみた。

翌朝見ると花は落ちておらず、受粉が成功したことがわかった。その後は、ほぼ100パーセントの確率で受粉できるようになった。受粉に成功すると、落ちずに残った花は枯れていくが、花のついた茎のような子房が少しずつ育っていく。半年以

上時間をかけてゆっくりと育ち、バニラのさやが十分大きくなると収穫する。これがバニラビーンズとなるが、2〜3か月以上かけてキュアリング（発酵と乾燥を繰り返す）をしない限り、あの甘いバニラの香りはまったくしない。

コロンブスの時代には、すでにカカオ豆の香りづけとしてバニラが使用されていたらしいけれど、最初に発見した人はすごいと思う。ジャングルのような湿度や温度が一定に保たれた場所で、昆虫が受粉してできたバニラの実が落下して、ゆっくりと発酵し、甘い香りを漂わせて人を惹きつけたのかもしれない。

話は変わるが、日本で夏の終わりに散歩していると、どこからともなく甘い香りが漂ってきたことがある。綿あめかみたらし団子のようでもあるが、それらしい気配はない。いつも、そこを通るたびに甘い香りがするのでとても不思議だった。

引っ越して近くの公園を散歩していると、そのときと同じ甘い香りが漂ってきた。今度は近くから香りがするので、なにか花が咲いているのかとあたりを見渡しても花らしきものはない。だが、今度こそ、香りのもとをつきとめたいと、その場にとどまりひたすら嗅覚を働かせた。すると、地面から香っているのがわかり、まさかと思って枯れ葉をつまみ上げると、それが甘い香りを放っていたのだ。それは桂の葉であることがわかったが、緑の葉は何もにおわないのに、落ちた枯れ葉が香りを放つようだ。

バニラの栽培も受粉もキュアリングもできるようになった。モロゴロにはバニラの栽培に適した土地がたくさんある。モロゴロでバニラを育てて、1本500円で売られているバニラビーンズを日本に輸出することを夢見たことも、懐かしい思い出だ。

雨乞い

日本で天気予報を見ていると、「しばらく晴天が続くでしょう」とか「洗濯物がよく乾くでしょう」など、お天気お姉さんもおじさんも、晴れのときはよいニュースとして笑顔で伝えている。雨の予報のときには「明日は傘の出番になりそうです」とか「あいにくの雨です」と、申し訳なさそうに伝えている。町に住んでいる限り、毎日晴れていればよく、雨の日なんて必要ないのかもしれない。

タンザニアには、雨季と乾季があるが、雨季に雨が降らないと死活問題となる。日本の2・5倍ほどの国土面積があるのだが、灌漑設備が整っていないところが多いため、農民は雨だのみで作物の種を蒔くのだ。

雨季が始まったと思って、主食のトウモロコシの種を蒔いても、その後ぴたっと雨が止んでしまうと育たずに枯れてしまうこともある。雨が降らないとトウモロコシの価格が上がるだけでなく、いろいろな物価も上昇する。外国人のわたしたちにとっては、さほど影響はないが、現地の人たちには深刻な問題だ。また、雨が降らないと川やダムの水が減り、断水することがある。さらにダムの水位が下がると主な電源である水力発電ができず、突然停電が起きたり、計画停電が実施されたりする。

当時、大きな家では、家の敷地内に1000から2000リットルの巨大な水タンクを屋根の高さほどの台にのせ、ろ過装置を通った水道水をポンプで汲み上げて水タンクにためていた。水タンクの水を家の中の水道管に引き込み、蛇口から水が出るというシステムであった。こうして蛇口から出た水をさらにろ過する。当時は、バケツを二つ重ねたようなステンレスのろ過器を使っていた。上のバケツに水道水を入れると、2本のろ過棒を通った水が下のバケツに落ちる仕組みだ。下のバケツにはコックが取り付けられていて、煮炊きにはそのまま、飲料水には、さらに煮沸させて使っていた。水道設備はあっても、老朽化した浄水場は機能しておらず、供給される水は川の水のようなものなので、各自が自宅の敷地内で水の浄化と殺菌を行う必要があった。

乾季の終わりに断水が3日ほど続いてしまったことがある。断水が始まると、庭師さんにタンク台に上って水の残量を確かめてもらう。タンクの水を節約するため、蛇口から糸のように細い水を出してお皿を洗い、トイレの水はまとめて流すようにした。

朝方は曇っていて雨が降りそうであったのが、次第に晴れ上がっていく空をうらめしく眺めたり、遠くに見える雨雲をこちらに呼び寄せようと念じてみたり、テルテル坊主を逆さにつるしたこともある。雨乞いをする人たちの気持ちがよくわかるというより、雨乞いをする人の一人となっていた。

違う地区に住んでいる友人のところで水が出ていたときは、タンクを車に積んで水をもらいに行ったこともある。これでは、現地の人たちはどれほど困っているだろう。暴動でも起きるのでは？　と不安に思ったが、外を歩く現地の人々の様子はいつもと変わりない。4日目に蛇口から水が出た。断水も突然だが水が出るのも突然だ。でも、この突然さはうれしい！　停電も困るが、断水は比べものにならないくらい生活に支障をきたす。

ところで、雨が降り過ぎても断水が起きるのでやっかいだ。雨が降り過ぎると、川の水に泥や石が混じって水道管が詰まるからだ。また、水道管が破裂したり、誰かが途中で水道管を切って水を盗んだりと、断水の理由はいろいろあるようだ。

雨季の始まりの雨は、バケツをひっくり返したようなすさまじい降り方をする。雨どいを伝って流れてくる雨水は、最初は汚れているが、しばらく待つと澄んだきれいな水になる。子どもたちは雨が降ると、張り切ってきれいになった雨水をバケツやたらいに貯めていた。ろ過しないでもきれいな水、これこそ天の恵みだと実感した。

庭の緑も街路樹も人々もみな、再び生命力を取り戻したように生き生きとし始める。わたしは心からほっとして、久しぶりに大きく深呼吸をした。

ヤシの木の上のチャイ

息子の8歳の誕生日に、ダルエスサラームから連れてきたチャイは、わが家の犬たちとの対面が無事にすみ、受け入れられたと思ったら、いつの間にか動物たちの中で序列1位になっていた。茶トラだったことから、「チャイ」(スワヒリ語で紅茶)と名付けたが、大声で名前を呼ぶとタンザニア人からクスリと笑われた。朝食のときには、焼き立てのパンをちぎってひとかけ放ると、おいしそうに食べていた。チャイがパンを食べている様子に、家族みなほっこりさせられた。

チャイの行動範囲はわが家の広い庭を超えていたが、遠くにいても、わたしがベランダから「チャーイ」と呼ぶと、どこからともなく走ってきて、ベランダを駆け登ってきたものだ。

ある日、丸一日姿を見せなかったので、庭でチャイの名を何度も呼んだ。スタッフにも捜してもらったがどこにもいないという。翌日になっても戻ってこなかったので、心配になり、庭のあちこちでチャイの名を呼び続けたのだが、姿を見せることはなかった。わたしが肩を落としていると、木の上からネコの鳴き声がしたと、お隣の庭師のエネアが知らせてくれた。きっとチャイだ!

わたしはジャコブと一緒に急いでお隣の庭に向かった。ネコの鳴き声は、なんと20メートル近い高さのヤシの木の上から聞こえていた。

「チャイ！」と呼ぶと「ミュアー」と返事がした。いつもの強気の声とは違って弱々しいが、チャイの声だった。チャイが見つかってうれしかったが、呼んでも、ただ心細い鳴き声が返ってくるだけである。高いヤシの木に登ったものの、下りることができないでいるのだ。

ネコを高いところから落としても、空中で回転できるから無事に着地することができると、子どものころ本で読んだことがある。だが、さすがにネコでも飛び下りるには高すぎる。ヤシの木の葉は1枚が2メートルほどもあり頑丈なので、葉っぱの上にいる限り落ちる心配はないからずっとそこにいたのだ。

なぜ、そんなところに登ったのだろうか。おそらく、お隣さんの庭に入ったチャイは、隣の飼い犬に追いかけられてヤシの木を駆け登って逃げたのだろう。ヤシの木はまっすぐ伸びていて、葉っぱが生えている部分まで枝一つなく、まるで電柱のようにするりとしている。犬にやられなくてよかったが、自力で下りることのできないチャイを救出しなければならない。チャイは丸二日は何も食べていないはずなので、急ぐ必要がある。

ジャコブとエネアとの作戦会議が始まった。ジャコブは、自分がヤシの木に登ると言ってくれた。ジャコブはすらりとして身軽なので、彼ならできるだろう。

以前ザンジバルを訪れたとき、「バタフライ」という名のヤシの木登りの名人に出会った。ヤシの木を手でつかむと縄で結んだ両足を幹にかけ、さらに手を伸ばして足をかけるのを繰り返しては、森に響きわたる声で歌いながら、高い場所にあるヤシの実を取るという達人であった。

だが、ジャコブはいくら身軽とはいえヤシの木登りのプロではない。地面からヤシの葉のところまで自力で登ることは難しいと判断した。そこで、お隣さんの家にある一番長いはしごを持ってきてもらい、ヤシの木に立てかけた。途中まではしごで登り、そこから葉っぱのところまで、自力で登るのだ。葉っぱのところまで到達してからどうするかも、問題となった。チャイを抱きかかえて下りることは不可能だし、チャイもじっとしてはいないだろう。いろいろと話し合った結果、ジャコブがヤシの木の上で、麻袋にチャイを入れてひもで縛り、はしごを登ったエネアに麻袋を手渡すことになった。

これは、平日の午前中のできごとだったので、夫も子どもたちもいなかった。わたしはエネアと一緒にはしごを押さえ、麻袋を手にはしごを登るジャコブを必死で支えた。はしごを登り終えると、ジャコブはヤシの木を登り始めた。そしてすぐにヤシの葉の根元を手でつかみ、葉の上によじ登った。ヤシの葉は青々として丈夫そうだが、万が一、葉が重みでちぎれると、ジャコブは落ちて大けがをするどころか命の危険もある。チャイのことより、ネコのために危険を冒してくれるジャコブに対して申し訳ない気持ちでいっぱいになった。

ジャコブはヤシの木の上でチャイと再会すると、チャイをうまく麻袋に入れてくれた。ジャコブはとても動物にやさしい人で、チャイもそれをよく知っている。ヤシの木の上で気の強いチャイを麻袋に入れられるなんて、ジャコブは本当にすごい。

次に、エネアがはしごに登って、チャイが入った麻袋をヤシの葉の上のジャコブから受け取った。こうして救出されたチャイの無事な姿を見て安心した記憶はまったくない。というのも、ヤシの木の上のジャコブが下に下りてくるまでは気が気でなかったからだ。わたしはエネアとはしごを支えた。ジャコブは慎重にヤシの葉から幹に移って、はしごまでゆっくりと下りる。

と、その瞬間だった。ヤシの実が落ちて、はしごを支えていたエネアの側頭部を直撃したのだ。ジャコブが無事に下りてきてほっとしたのも束の間、わたしは半分パニックになりながら、意識はあって大丈夫そうだったが、エネアを車に乗せて町なかの病院に連れて行った。

モロゴロの病院には、CTや脳波を調べる装置などない。医者は冷やせば大丈夫だろうと言って、痛み止めを処方してくれた。わが家の飼いネコのせいでこんな目にあったのに、エネアはわたしを責めることもなく、穏やかないつもの笑顔で心配ないと言ってくれた。

頭を強打すると、あとで内出血の症状が出ることがある。わたしは眠れない夜を過ごして、翌朝、ファリダにおそるおそるエネアの様子を聞いた。ファリダとエネアは親戚なので、彼の身に何かあればすぐにわかるからだ。すると、特に変わりはないという。それでも心配でお隣さんの家にエネアの様子を見に行くと、少し痛みがあるというが、元気そうでほっとした。

その後、1か月ほどの間、ファリダとの朝の挨拶に、「ハバリ・ザ・エネア？」（エネアの様子は？）が付け加えられたのだった。

4　家を建てる

マサイ族の女性

モロゴロでは、イタリア人大家のブルーナの家に2年ほど住んだ。美しい庭園のある住み心地のよい家で何の問題もなく暮らしていた。

ある日、ブルーナの家でエスプレッソをごちそうになっていると、突然、彼女はわたしに土地を買わないかと切り出してきた。わたしたちが住んでいた家はブルーナの家の裏隣にあったが、ブルーナの家の左隣に住んでいるマサイ族の女性が、何年も土地を売ろうとしているものの、買い手が見つからなくて困っているという。

好奇心に火がつき、どんな土地か見るだけでもと思い、その日の午後、ブルーナと一緒にマサイ族の女性の家を訪ねることにした。彼女の家は大きかったが、建築途中で長年そのまま放置されており、半分朽ちかけていた。

モロゴロに住んでいるあいだにわかったことだが、タンザニア人が家を建てるとき、ある程度のお金が手に入ると、まず土台を作り、次にお金が入ると、壁を作り、次は天井、次は床と、経済状態に応じて少しずつ工程を進めて行くようだ。日本のような住宅ローンの制度がなく、貯金も一般的ではないため、まとまった収入があったとき、可能な範囲の工程を進めるのだ。

さらに、タンザニア人の相互扶助の社会では、まとまったお金があると、遠くの親戚や知人にまで頼られることがある。お金は、とどまるものではなく流れていくもの、使われるものであり、貯め込むものではないのだ。お金があるときにセメントを買う、トタンや木材を買うなどしなければ、いつまでたっても家を建てることなどできないだろう。壁と床と屋根があれば雨風をしのげるため、住みながら壁を塗ったり、家具をそろえたりと、少しずつ完成に近づけていける。未完成の家に住むなんて？　と思ったが、家賃がいらず、経済状況に合わせて手を入れられるので、悪くないやり方だ。

マサイ族の女性は、ご主人が亡くなってから家を完成させる経済力を失ってしまい、30歳くらいの、人はよさそうだが頼りなさそうな息子と同居していた。立派な家を建てるつもりだったのだろうが、ご主人を失ったことで未完成のまま朽ちていく家で、不運とあきらめの空気に満ちたうす暗い室内のベッドに力なく横たわっていた。

彼女は深刻な病に侵されており、しっかり話ができる状態ではなく、息子からいろいろと話をきいた。母親の治療費、妹の学費などが必要で、この土地を売った金でダルエスサラームに家を買いたい。何年も前から買い手を探しているが見つからなくて困っている。なんとか買ってくれないだろうか。そういう話であった。

敷地は広く、後で計測すると、縦横それぞれ50メートルをゆうに超えていた。手入れされていないやせ細ったバナナ畑に埋もれて、壊れた家畜小屋があり、敷地全体に背高く伸びた灌木や雑草が生い茂っている。敷地の中央が深くえぐれており、ちょっとした谷間のようになっている。小さな谷間の真ん中には、高さ15メートル以上はあるザンバラウの大木が、何かのシンボルのようにまっすぐに立っていた。

土地の所有へ

子どものころ、「アフリカに永住することが夢だ」と言って、友だちにあきれられていた。夫の仕事でタンザニアに住んでいるだけなので、任期が終わると帰国しなければならない。帰国してしまうと、旅行で戻ってくるとしても遠すぎる。距離が遠いということは、それだけお金がかかるということだ。だが、自分たちの土地があれば飛行機代はかかるが、いつでも帰れる場所ができる。

夫の仕事でもう一度タンザニアに戻れる可能性もある。動物学者になるという夢をもつ息子は、将来この土地をリサーチステーションに活用できるかもしれない。子どもたちが友だちと一緒に遊びに来ることだってできる。そして、飼っている3匹の犬たちは、離ればなれにならず、寿命がくるまでこの家の庭で一緒に暮らすことができる。困っているマサイ族の女性とその家族を助けることにもなる。

わたしの頭の中で、土地を買うための理由探しが始まった。大好きなモロゴロに土地を持つということは、子どものころからの夢が叶うことであり、マサイ族の女性との出会いは定められた運命のように思えた。そのころのわたしは、まるで熱病にかかったような精神状態であったと思う。

冒険心や好奇心があまりない、言い換えれば、いたって常識的でリスクをとることを好まない夫を果たして説得できるのだろうか。これまでも、何度もやりたいと思った事を説き伏せて、しかも夫に実行させてきたという実績がある。しかし、土地を買うという思いつきを夫に伝えるにあたっては、さすがに躊躇してしまった。

はっきりとは覚えていないが、最初に土地を買いたいという話を切り出したとき、夫は顔をしかめただろう。そして、わたしが思いついたいくつかの土地を買う理由は、なんら説得力を持つものではなかった。しかし、わたしの熱病はどうしても治らないと判断したのだろう。とうとう夫は土地を買うことに同意してくれた。

この広大な土地の値段はいくらだったのか。値段というものは、定価がない場合には、どれほど自分にとって価値があるものか、必要であるものかで決まるものだと思っている。一杯の水にさえ、1万円出してもほしい状況だってあるだろう。タンザニアでは、定価がない場合、明らかに高過ぎると思ったときは、相手の言い値の半分の値段から交渉を始めることにしていた。

土地の所有者であるマサイ族の女性の息子との値段交渉が始まった。相手の言い値は忘れてしまったが、交渉の結果、車一台分（大衆車か高級車かは想像にお任せする）ほどの値段で折り合いがついた。売買契約のトラブルを避けるため、弁護士を立てて売買契約を進めることにした。

マサイ族の女性の息子は、早く現金を得たいため手続きを急いでいた。タンザニアでは、ささいな事務手続きであっても、とんでもなく時間がかかる。システムが複雑なのか、手続きする人たちが何らかの理由で書類を見る時間がないのか、理由はよくわからない。そのため、売買契約に必要なすべての書類を準備し、弁護士を探したり、税金を計算したり、売買契約書を作ったりすることなどを考えると、土地を購入することは実現できないだろうと思っていた。だが、相手方があらゆるネットワークを駆使して、驚くべき早さで書類が整い、売買契約書にサインを交わし、車一台分のお金を相手方の口座に振り込んだ。

夫は、何かまとまったお金が必要なとき、車の価格に換算する癖がある。土地代を振り込んだとき、夫は新車を事故で失ったのだと、自分に言い聞かせていたのかもしれない。

わたしたちの名前が書かれた土地の借地権証書を見て、ついにアフリカに土地を所有できたと実感した。それは、喜びというより、夢の中にいるような感覚であった。

ムジ・カソロ・バハリ（海のない町）

ウルグル山地の麓にあるモロゴロの町は、水に恵まれ、山の冷涼な気候で育てられた豊富な野菜や果物があり、日帰りでダルエスサラームにもミクミ国立公園にも行ける好立地である。標高が５００メートルほどあるため、ドイツ領だった時代にドイツ人が建てた石造りの家には、必ず暖炉の煙突があるほど（温暖化で暖炉の出番はなくなっていたが）朝晩は涼しく、海際で蒸し暑いダルエスサラームと比べると、とても住みやすい気候だった。

しかし、モロゴロの人々は、海に面した都会のダルエスサラームへの憧れからか、モロゴロのことを自嘲気味に、「ムジ・カソロ・バハリ」（海のない町）と、呼ぶこともあった。

気立てがやさしくおっとりとしたウルグルの人々が、のどかなモロゴロの町の雰囲気を作っているが、タンザニア各地から移り住んだタンザニア人も多い。国内外から移り住んだインド系タンザニア人、アラブ系タンザニア人、そしてユニークな外国人が住んでいる活気のある町でもある。

赤い土ぼこりをかぶったモロゴロの町の喧噪から少し離れた場所に、町で最大の宿泊施設であるモロゴロホテルがあり、そこから山に向かったなだらかな傾斜地は住宅地となっている。植民地時代に区画されたであろう広い敷地は、今ではほとんどがタンザニア人の所有となっているが、敷地はもとの広さを保っており、わたしたちが買った土地も50メートル四方という広さだった。

わたしたちの土地は、モロゴロの公安関係で働いていたタンザニア人の所有地の隣にあり、治安上もお墨付きの優良物件である。近くには州事務所や政府関係者の家もあることから、停電や断水が起こることも少なかった。

道路をはさんで斜め向かいには、渓谷のような地形を生かした、日本人が設計したといわれるロックガーデンがある。バーがあるため、週末には大音量の音楽が明け方まで続くこともあったが、普段は、山からの水の流れと、数え切れないほどの巨岩が作る独特の景観を楽しみながら、うっそうと茂った木々が心地よい日陰を作る遊歩道を歩くことができる。大々的な広告がないためか、とてもよい場所なのに訪れる人は少なかった。

土地の整地

全ての手続きが終わり、土地が正式に自分たちの所有となった日から、土地への思い入れはどんどん強くなっていった。立地はいいし、広いし、無限のポテンシャルを持っているように感じられ、一日も早く荒れ果てた土地を整地したかった。

ジャコブが日雇いの若者を連れてきてくれたので、枯れたバナナの木や朽ちた家畜小屋、ゴミ、雑草の撤去が進んでいった。わたしは、毎日、犬のマウェを連れて作業の進行を見に行った。マウェと一緒だと女性一人で歩いて行っても心強かった。重機を使えば、2日もあれば終わる作業だが、何もかも手作業で行うため、すべて撤去するには2週間ほどかかったが、むしろ機械を使わずに人の力だけでなんでもできるものだと感心させられた。

タンザニア人の筋力や持久力は驚異的だ。電力や機械に頼らない日々の生活や労働によって鍛え上げられているのだろうが、彼らのパワーのもととなる主な食事が、ウガリと豆や小魚（煮干しに似た干し魚）ということもすごいことだ。

荒れ放題だった土地の整地が終わると、土地はいっそう広く感じられた。谷がはっきりとした形を見せ、いくつかの巨岩が姿を現したとき、すばらしい庭園ができるだろうと確信した。巨岩は大きいもので直径2メートルほどもあり、直径1メートル以上の岩は10個以上あった。谷間にある座り心地のよい大きな岩に座って、夫とビールを飲みながら、その後に起こる困難を知る由もなく、ウルグルの山の美しい景色を眺めていた。

流れと勢いのままに

荒れ地がきれいに整地されると、建築途中で放棄され朽ちかけた家のみすぼらしさがいっそう際立って見えた。戻ってこられる場所がほしかったとはいえ、新しく家を建てるというバカげた考えなど毛頭なかった。なぜなら、夫の任期は残り1年足らずとなっていたからだ。それでも、つい最近までマサイ族の女性が病に伏せていた家を完成させ、住めるようにする気にはなれなかった。そのときの記憶は熱病のせいかぼんやりとしているが、土地を買った勢いと流れのままに家を建てることにしたのだろう。

もとあった家を取り壊す作業をしていては家を建てる時間がなくなるため、別の場所に家を建てることにした。50メートル四方の土地なので、家を建てる場所はたくさんある。土地の真ん中を貫く小さな谷間を中心とした庭造りをするとして、道路に近いほうの敷地に家を建てることに決めた。

家を建てるにあたって、子どもたちと間取りを考え、リビング、ダイニング、キッチン、寝室、二つの子ども部屋、洗濯室、ストアルーム（冷凍庫や食品の保管用）、二つのバス・トイレを配置した間取り図を方眼用紙に描き込んだ。

子どもたちとまるで遊びのように描いた間取り図を夫に見せた。夫はこだわるところはこだわるが、メニューや服や旅行先など、何かを選ぶとなると面倒くさがる性格だ。間取り図を見たとき、大好きな車や自転車を手入れするときのような注意深さがあってもよかったと思うのだが、夫は特に異論はないようだった。だが、このような書き方は夫に対してまったくフェアではない。なぜなら、夫はモロゴロで仕事をしていたのであり、土地を買ったり家を建てたりすることに時間やエネルギーを使う余裕など、ほとんどなかったのだから。

結局は、方眼用紙に描いた図面どおりに、設計士の資格を持つ人に設計図を描いてもらったのだが、驚くべきことに正式な建築許可が下りた。地震がない国とはいえ、よくこれで建築許可が下りたものだ。

間取り図を描くのに方眼用紙を使ってしまったために起こった致命的なミスは、1マスを0・5メートルとカウントしたことだ。広い敷地に、小さくて質素なレンガ造りの家を建てるはずだった。しかし、この設計図に基づいて忠実に建てられたため、想定外の大きな家になってしまった。

エマニュエル

エマニュエル（エマと呼ばれていた）は、ブルーナのお気に入りの職人で、アメリカの俳優、ウィル・スミスに似たイケメンな好青年だ。専門はタイル張りということで、彼が張るとゆがみのないタイルの床ができるという。腕がいいだけでなく、おだやかで信頼できる人柄から、ブルーナは家の修理や増築のたびにエマに頼んでいた。

家を建てるにあたって、わたしもエマに全面的に頼ることにした。信頼できる人は、信頼できる人を知っているし、わが家になくてはならないジャコブとも古い付き合いだということがわかった。

日本で家を建てるのであれば、建築事務所なり工務店なりに依頼すればすむのだが、モロゴロでは、一つ一つのプロセスすべてに巻き込まれる？　いや介入する？　いや指揮をとる？ことになり、これはおそろしく時間とエネルギーを要することであった。

もしも、最初からやるべきことがすべてわかっていたとしたら、家を建てようなどという考えは起こさなかっただろう。しかし、わたしにそれから起きることを想像する力はなく、いつの間にかほとんどのエネルギーを現場監督に注ぐことになっていった。

基礎工事

方眼用紙の1マスを０・５メートルで計算したことで、３ＬＤＫプラス、洗濯室とストアルームの間取りなのに、２３０平方メートルという大きな家になってしまった。しかも、高低差が1メートルほどある斜面に家を建てるため、基礎工事だけでも大工事となった。

まず、基礎工事のため、地面を30センチ掘るのだが、そのための日雇いの作業員をエマが手配してくれた。地面を掘る作業が終わると、柱と基礎部分には鉄筋を通し、床の部分には砂利を敷き詰めてからコンクリートを流した。砂利や砂はエマが手配し、トラック1台分単位で購入し搬入してもらった。

セメントは何袋買ったか覚えていないが、足りなくなると、ランクルでジャコブと一緒に町に買いに行った。セメントは1袋50キロもあるのだが、細身なのに力持ちのジャコブが車に積んでくれた。わたしは車を運転しお金を支払うだけだが、それはそれでお金だけでなく気も遣う疲れる仕事だ。セメントをその都度、必要数だけ買いに行くのは、大量に保管すると盗難にあう恐れがあるからだ。

基礎工事に着手する前に、いや図面を引く前に、床面積当たりの工事費用を見積もるべきであったが、もはや途中でストップすることもできず、湯水のようにセメントを消費する作業が続き、お金がどんどん出ていった。家の土台になる基礎工事は大事だとわかっていても、本当に家が建つのだろうかと不安を感じながら地味な作業を眺めていた。

赤レンガの壁

基礎工事が終わるといよいよ壁作りが始まり、家の形ができていく。家の壁は赤レンガで作ると決めていた。モロゴロには粘土質の土があるため、レンガ製造場が何か所か存在する。壁に必要なレンガの数を計算し、レンガ製造場に注文し、トラックで届けてもらう。粘土を練って成形し焼いた赤レンガを横積みに並べて、セメントをのせ、次の段は半分ずらして横積みに並べていく作業を繰り返す。基礎工事の職人に代わってレンガ職人を雇った。タンザニアでは、家を建てる職人といっても、基礎工事、壁作り、床のセメント打ち、屋根作りなど、それぞれ専門の職人がいるので、作業の内容が変わると職人が入れ替わる。必要な職人は、総指揮をとるエマかジャコブが連れてきてくれた。エマはたまに来て、作業を確認したり職人に指示を出したりしていた。

方眼用紙に描いた設計図通りに壁ができていくので、実際に形になっていくのを見るのは楽しかった。地震がほとんどないため、柱には鉄筋が入っているが、壁はレンガだけでできている。少し不安がよぎったけれど、『3匹の子ぶた』の話を思い出し、台風も地震もないから大丈夫だろうと思うことにした。

壁作りの作業の際、ドアをつける部分が壁にされてしまったときのことだ。すぐに気がついて職人に指摘すると、あわてる様子もなく、ハンマーを手にして壁を壊し始めた。「適当だなー」と思ったけれど、おかしすぎて怒るどころか笑ってしまった。まあ、早めに気がついてよかった。

ベッドルームの奥の、6個の大きなトランクを収納できるウォークインクローゼットは、ホコリが入らないように窓をつけず、代わりに採光のためのガラスブロックを壁にはめ込んでもらった。これは我ながらとても良いアイディアで、すてきなウォークインクローゼットになるだろう。

壁作りの途中で一時帰国する時期となった。戻ってくるまでに壁を仕上げるよう、エマに念を押したが、作業の進捗に不安を感じながらモロゴロを後にした。

トタン屋根

壁が完成すると屋根の骨組みを作る作業を開始した。この作業は、ジャコブの奥さんの親戚である大工さんのメンギにお願いした。家が大きいため、屋根の骨組み作りにはたくさんの木材と釘が必要となり、製材所で必要な木材を注文しトラックで届けてもらった。

屋根の骨組みが完成するとトタンで屋根をふく。モロゴロでは、屋根用の質の良いトタンが手に入らないため、エマがダルエスサラームでトタンを注文しトラックで運んでくれた。トタン屋根の長所は軽くて、施工が簡単なことだ。雨が降ると雨粒がトタン屋根を叩く音は音楽のようなリズムを奏で、また強い日差しにきしむトタン屋根の音は味わい深いものがある。トタン屋根というと貧相なイメージが湧くだろうが、モロゴロの大地の色と同じ赤茶色のトタン屋根にしたことで、わたしたちの家は赤レンガの壁とともに、ウルグルの山の麓の美しい風景の一部に溶け込んでくれた。

窓を作る

壁を作り始めたのと同時に窓作りを始めてもらうことにした。窓を取り付けるのではなく、文字どおり窓を作らなければならない。どのように窓を作るのかというと、まず、大工さんが木材で窓枠を作り、レンガの壁の窓の部分に固定する。次に、鉄筋を買い、溶接職人に鉄格子を作ってもらう。これは防犯上必要なものであり、すべての窓に取り付けた。

窓ガラスには、タンザニアではよくみられるルーバーガラス（鎧戸状ガラス）を取り付けることにした。ルーバーガラスを取り付ける鉄枠を買い、このルーバーガラス枠のサイズに合わせ、ガラス職人にガラスを板状にカットしてもらう。窓は15か所もあるため、３００枚以上のガラス板をルーバー窓枠に取り付けるのは大変な作業であった。

最後に、防犯と同じくらい大事な、マラリア予防のための網戸を取り付ける。これは、大工さんの仕事となる。

木材、鉄骨、ガラス、釘、塗料、網、溶接機など、材料と道具をそろえて、それぞれの職人さんが手作業で行うのだから、気が遠くなるような時間がかかるだけでなく、日本の窓の数倍ほど費用が高くついてしまった。

帰国する日は決まっているので、一日も早く完成させて住みたいが、この分では一つの作業にとてつもなく時間がかかりそうだ。時間を短縮するには、前倒しで必要なものを準備し、できる限り同時並行して作業を進めるしかない。

ドアを作る

大工さんにドアを作ってもらうため、土曜日の午前中、夫がジャコブと木材や蝶番などの資材を買いに行ってくれた。それらの資材もまた、決して安いものではなかった。むしろ、日本のホームセンターで買うほうがずっと安く手に入る。

マンゴーやアボカドなら日本の10分の1の値段で買えるが、大量生産する工場がなく、商品になるまでに手間がかかるような木材などは値段が高い。鉄筋の値段は特に高いため、当時、モロゴロホテルのテニスコートから鉄のポールが盗まれるという事件があったほどだ。

大工さんからドアのデザインを聞かれたが、わたしはやることが多すぎてドアのデザインまで頭が回らなかった。「ドアのデザインはお任せするから急いで作ってほしい。そして、ちゃんとドアが閉まればいい」と言った。

ドアができると、壁に開けたドアのスペースに木枠をはめて、蝶番でドアを取り付ける。まっすぐとか直角という意識がそれほど高くないため、ちょっと斜めになっているけれど、きちんと取り付けられて開け閉めできれば、よしとしよう。

タンザニアの大自然の中で暮らす人々にとって、直線とか直角は「不自然」なかたちともいえる。日本のように、町の中も家の中も、すべてきっちりと四角四面にできているほうが、ある意味「不自然」なのかもしれない。

実は、直角になっていないドアを見たとき、大工さんに文句を言ってしまったが、日本の感覚をそのまま持ち込むのは無理がある。人件費の安い国で、規格品として大量生産された家具などの木製品が、スマホ画面に指で触れるだけで玄関先まで届けられる今の日本。木材を買ってドアに仕上げる工程の一部始終を目の当たりにすると、ドア一枚にどれほどの労働力が必要であるかがわかった。

必要なドアの数は、玄関、勝手口、子ども部屋×2、寝室、バスルーム×2、クローゼット、洗濯室にキッチンと、全部で10枚にもなった。玄関と勝手口のドアには、防犯のため溶接職人に鉄格子ドアを作って取り付けてもらった。

ダルエスサラームへの買い出し

タンザニアの一般的な家の床はセメントを打っただけだが、経済的にゆとりのある家はタイル張りにすることが多く、わが家の床もタイル張りにすると決めていた。エマはタイル張りを専門とする職人なので、完璧に仕上げてくれるだろう。リビングもダイニングもバスルームも家中の床がタイル張りとなる。タイルが必要な箇所は床のほか、キッチンの壁と流しの天板、バス・トイレの壁である。それぞれに必要な枚数を計算し、ダルエスサラームにある大きなタイル専門店へ家族で買い出しに行くことにした。

ダルエスサラームにある国際空港（ジュリウス・ニエレレ国際空港）から町の中心に向かう道路沿いに、大きな建築資材の店が並んでおり、輸入車や輸入家具などを取り扱う大型店も同じ道路沿いにある。モロゴロでもタイルは売られていたが、わたしがイメージしていたテラコッタタイルはなかった。家の雰囲気を決めるものなので妥協することはできない。夫はタイルなんてどうでもよかったと思うが、ダルエスサラームへの買い出しに付き合ってくれた。

輸入タイルを取り扱っている店で、イメージどおりのテラコッタタイルを見つけた。うす茶色の自然な風合いは、モロゴロの赤茶けた大地の色を思わせた。一目で気に入ったのだが、スペイン製のテラコッタタイルの値段は高く、床面積が広いので、必要枚数を計算するとたいそうな出費となった。

バスルームのタイルは、青い空に白い雲が浮かんでいるイメージのタイルにしたいと思っていた。きれいな淡いブルーのタイルと白雲色のタイルを見つけ、それを市松模様に張りつけることで、青空に白い雲が浮かび上がる。アクセントにブルーの模様タイルを何枚かはめ込むと、素敵なバスルームになるだろう。バスルームの床には、深海を思わせるグレーブルーのタイルを選んだ。洗面台の上の壁に取り付けた鏡もまた、こだわりのものだ。美しいザンジバル彫りの縁取りがある鏡をおしゃれな民芸品の店で購入して、タイルの壁に取り付けてもらった。モロゴロ生活が長くなるうちに、ダルエスサラームの青い空と海への憧れが強くなっていたのかもしれない。

中国製であればモロゴロで手に入ったのだが、気に入ったものは見つからなかったため、タイルだけでなく、バスタブや洗面台も、シンクもトイレも、シャワーも蛇口も、水回りで必要なものは、何度かに分けてダルエスサラームで調達した。

間取りを考え図面を描くところから始めたので、出費がかさむし、週末を使ってダルエスサラームまで買い出しに行くという困難があるが、妥協するわけにはいかなかった。そのころの夫もまた、夢が形になっていくのを見て、わたしと同じ気持ちになってくれていたと思いたい。

ダルエスサラームにはインド洋に面した美しいサンゴの白い砂浜があり、おいしいシーフードレストランがある。しかし、日帰りの買い出しでは、ビーチやシーフードを楽しむ余裕などなかった。買ったものを慎重にランクルに積み込むと、車内で食べるサモサなどの軽食と水を買ってモロゴロへの帰路を急ぐ。

ダルエスサラームからモロゴロまでの道は、街灯がないだけでなく、ところどころ舗装道路に穴があったり、ヘッドライトが壊れた車が走っていたりするので、暗くなってから走るのは

危険だ。治安も良いとはいえないし、明るいうちにモロゴロに帰り着きたい。買い物で疲れ、混沌としたダルエスサラームの町なかの運転で疲れているところ、モロゴロまでの200キロを、高速道路でもないのに平均時速100キロで運転する夫は大変だったと思う。夫の車の運転は、長距離でも悪路でも、運転技術が高いだけでなく、感情でぶれたりせず、いつも安心して乗っていられた。夫の運転もまた、家を建てるのに必要不可欠な要素だった。

こだわりのキッチン

わたしが一番こだわったのがキッチンであった。モロゴロでは、何でも手作りしていたので、子どもたちと楽しく快適に料理できるキッチンスペースが欲しかったからだ。キッチンのカタログを見てオーダーすることなどできないため、流し台、収納棚、吊戸棚、作業台など、すべて自分でデザインした。

帰国した友人から譲ってもらったりホームパーティー用に買ったりと、増えてしまった調理器具や食器がすべて収まる収納棚が必要だった。棚の扉のデザイン、棚板の位置、壁のタイルなど、決めなくてはならないことがたくさんあった。さらに、キッチンとダイニングの間の壁に穴を開けてカウンターを作ることを思いつき、キッチンカウンターなど見たこともない大工さんには図に描いて説明した。

キッチンの棚は明るくなるように、白木のパイン材を使った。デザインしたキッチンの扉や棚に必要な板の枚数を計算し、夫がジャコブと製材所に買いに行ってくれた。それらの木材を大工さんがサイズに合わせてのこぎりで切っていく。そのほか、釘やニス、タイルを張るためのセメントを買った。

ダルエスサラームで買ってきた、イギリス製のシンクと蛇口を取り付け、キッチンの壁と天板にスペイン製のタイルを張ってもらった。また、下に鍋などを置ける棚のある、1メートル四方の大きさの作業台も作ってもらった。キッチンの奥のストアルームには、壁全体に収納棚を3段取り付けてもらった。

こうして、デザインと機能性にこだわり、お金をかけたキッチンが完成したが、快適さ、楽しさ、手入れが楽という点では、セルーのキッチンにはかなわなかった。

ザンバラウの大木

何十年前からそこにあったのだろうか。誰か植えたのか、種が飛んできて生えたのか、高さ15メートル以上のザンバラウの大木が、敷地の中央にある谷間にそびえ立っていた。少なくとも、マサイ族の女性がまだ若く元気で、亡くなったご主人が家を建てたころには存在していたはずだ。幹の直径が50センチはある立派な木を切り倒すのは胸が痛むが、悲しい家族の歴史の象徴のようであり、谷間を活かした庭つくりの障害でもあったので、ジャコブとも相談し、切り倒すことに決めた。

ザンバラウは、スワヒリ語らしい語感であるが、調べてみると、アフリカ原産ではなくインド原産ということだ。ザンバラウに限らず、アフリカ原産と思っていた植物が、実はアジアやオーストラリアやアメリカの原産であったことなど、後で調べてわかったことがよくある。フトモモ科の植物で紫色の果実は食べられる（渋いプラムのような味）が、ザンバラウの日本語の名前を見つけることはできなかった。

このザンバラウの大木を切り倒す作業は、ジャコブとサファリの二人で問題なくできるということであった。頼もしい限りだし、生活に必要なことはほぼ何でもできるうえ、労苦を厭わないという姿勢には頭が下がった。ザンバラウの木は見事にまっすぐに育っているので、木材に加工できるとジャコブが提案してくれたが、そびえ立つ木を見て、これを板にすることはまったく想像できなかった。

切り倒した後、板を切り出す作業は、さすがに専門の職人が必要となる。そして、3日後には必要な職人を、ジャコブが探し出して連れてきてくれたことも驚きだった。ネットで探す、ツイッターで呼びかけるとかではない。一番知っていそうな人に職人を探していることを伝え、その人が知らなければ、誰かほかの人に伝えるという、人から人へのネットワークが存在しているのだ。何事も筒抜けになっているようで怖くもあるが、ネットと違って情報が拡散する範囲は限られているし、時間が経てば人々の記憶から消えていくのがよい。

木挽き職人

ジャコブとサファリは、切り倒す方向を決めると、ザンバラウの大木にオノを入れ、くさびを打ち込み、危なげなく見事に切り倒してくれた。

そして、二人の木挽き職人がやってきた。木挽き職人は見たこともないような、両端に取っ手がついた長さ1メートル以上ののこぎりを携えている。道具はこれだけだった。

彼らはまず、丸太にしたザンバラウから板を切り出すための足場作りから始めた。後に写真に撮っておかなかったことを後悔する場面がいくつもあるのだが、そのときの彼らの作業こそ、写真に残すべきであった。一人が組み上げた台に上り、もう一人が地面に立ち、それぞれがのこぎりの端を握って、交互にのこぎりを引いて立てかけた丸太から板を切り出していく。

帰国してから、子どもの日本史の資料集を見ていると、まったく同じ作業風景が描かれた絵があった。このようなのこぎりが、日本では

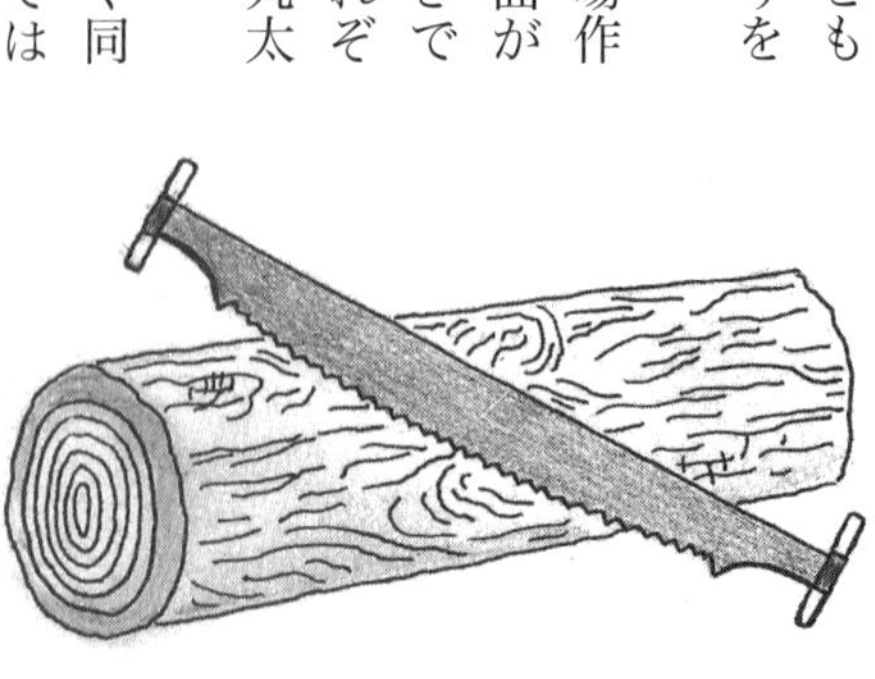

16世紀に使用されており、両手挽きのこぎりとか、台切のこぎりというらしい。昔、日本で行われていたのと同じやり方で、今も板を切り出しているのだ。道具一つで、丸太から板が作り出されることは感動的だった。板は、見た目ではほぼ平らに切断されており、工場で作られたような美しい木目の板が次々に出来上がった。

この板でダイニングテーブルを作ると決めていたのだが、板材として使えるまで最低2か月ほど、乾かさなければならないそうだ。板が反り返らないように、クランプ（万力）でしっかり固定し、古い家の中に保管した。これもジャコブの知識によるものだった。

板がすっかり乾燥して反りが出る恐れがなくなるまで待ち遠しく、ちょくちょく板の様子を見に行ったものだ。ジャコブに何度も、「もう大丈夫か」と聞いては、「もう少し待つように」と言われた。

木材がようやく乾燥し、なんとか加工できるようになった。本来であれば、完全に反りがでなくなるまで半年は乾燥をさせるべきところだが、残された時間は少なかった。大工さんと相談して、テーブルのデザインを考えた。テーブルの天板は一番よい板を4枚張り合わせて作る。4本の脚は、丸太を4つに縦割りにしたものを真四角に形を整えて天板に取り付ける。テーブルは、8人が余裕でかけられるような大きなものにしてもらった。

天板にニスを塗るとテカテカしてしまうので、代わりに丁子オイルを塗りこむことにした。ダルエスサラームに、ザンジバル風の味わいのある家具を作っているメーカーがあるが、その家具の渋いこげ茶色は、丁子オイルを塗りこんでいるからだと、シモナが教えてくれた。

ザンジバルがスパイスの産地として有名だが、ウルグル山地でも栽培されている丁子は、モロゴロの市場でも売られていたので、探してみると、ビンに入った丁子オイルが売られていた。丁子オイルは薬や香料として用いられるそうだ。香料に用いられるくらいだから、香りは悪くないが強烈なので、たっぷりテーブル全体に塗り込むと、しばらく近寄れないほどだった。夫と一緒に布にしみこませた丁子オイルを何度も重ね塗りすると、美しい木目がくっきりと浮かび上がる黒いつやを帯びた立派なテーブルが完成した。

生き物を除いて、タンザニアから持ち帰りたかったが持ち帰れなかったものの一つは、この唯一無二のザンバラウのテーブルである。家の庭に立っていた一本の木から、人の手だけでテーブルが出来上がるとは、全ての工程を見ていたとはいえ、まるで魔法のようであった。

石割職人

家を建てるためには、基礎や床や柱のほか、テラスの施工用に大量の砂と砂利が必要となった。購入した土地には巨大な岩がゴロゴロしていて、基礎工事をする際にも岩が邪魔になった。地面から出ている部分だけでは大きさがわからず、掘ってみると数トンはあろう巨大な岩が出てきたこともある。

厄介な岩だと思っていたが、ジャコブは、「岩があるからラッキーだ」と言う。ジャコブがラッキーだと言ったのは、この岩を砂利にできるからだった。いろいろな職人がいることがわかったのだが、岩を砕いて砂利にする石割職人がいるというのだ。

「こんな巨岩を砂利に？」「いったいどうやって？」

まったく想像できなかったが、ジャコブは二人の石割職人を連れてきてくれた。石割職人はタンザニア人としては珍しく寡黙で、表情は柔和なように見えるけれど、言い知れぬ凄みのようなものを感じさせる、初めて見るタイプのタンザニア人だった。それでも、ジャコブの紹介というだけで全面的に信頼できるほど、わたしたちのジャコブへの信頼は揺るぎのないものとなっていた。

非常に硬く大きな岩をこのままハンマーでたたき割ろうとしても、ハンマーが跳ね返ってくるだろう。驚いたことに、石割職人は、割ろうとする岩の部分に薪を置いて火をつけたのだった。岩を熱し割れやすくしてから、熱した部分にくさびを打ち込み、まずは片手で持てる程度の大きさに岩を割るのだ。

石割の作業はここからが大変で、体力も精神力も要する過酷な作業だ。扱いやすくなったとはいえ、硬い岩をハンマーでたたいて砕き、砂利のサイズになるまで、さらにたたいて砕く。これらの作業は、岩のある場所、つまり炎天下で行われ、石割職人は汗びっしょりになりながら黙々とこの作業を続けていく。

南アフリカを旅行したとき、ネルソン・マンデラが収容されていた刑務所のあるロベン島（島そのものが刑務所であった）を訪れ、マンデラに科されていたのが岩場での石割の作業だと説明を受けた。夫は以前、タンザニアでも囚人にとって一番過酷な労働の一つが石割だと聞いたことがあるそうだ。石割職人が持つ独特の凄みは、このような過酷な仕事を生業としている人生からにじみ出たものであったのかもしれない。

二人の石割職人は、急ぐでもなく一定のリズムで、つらく地味な作業を続けた。1日ごとに着実に砂利の量は増えていった。支払いは日当ではなく、できた砂利の一山単位での計算となった。ほかの仕事より割高だったが、仕事が過酷でほかにできる人がいないので当然だろう。重機なしには動かせないような大きな岩は、こうして職人の手で砂利となり、貴重な建築資材となった。

フェンスとゲート

当時を思い出しながら、家を建てる一連の作業について書き始めると、よくもまあ、次から次へとやることがあったものだ。若かったからできたことだろうが、思い出すだけでため息が出るほど疲れることをよくやったなあと、感心するやらあきれるやら。やるべき工程のすべてがわかっていたら、よもや家を建てるには至らなかっただろう。

この土地の周囲には、隣との境界にブーゲンビリアが植えられていたが、道路側には、タンザニアで生け垣としてよく植えられているミチョンゴマという、とげのある木が植えられていただけだった。治安がよい地域とはいえ、敷地をフェンスで囲んで防犯対策をする必要がある。

金網フェンスを張ることにしたのだが、まずコンクリートの支柱を立てなければならない。敷地が広いため、3メートルおきに支柱を立てるとなると50本必要となる。そこで、鉄筋とセメントと砂を買い、高さ2メートル、20センチ四方の木枠を用意し、そこに鉄筋を入れ、砂利とセメントを流し込み、乾かし固めて支柱を作った。

支柱ができあがると支柱を立てる穴を掘り、そこにも砂利とセメントを流して固めるという、予定外の工事となるが、夫がジャコブと相談しながら、資材を調達し、職人を雇い、家を建てる作業と並行してフェンスの設置を進めた。

フェンスの工事が終わると、アフリカンチューリップの木とジャカランダの木の間のスペースに、ゲートを設置することにした。溶接屋にゲートの鉄扉を注文し、高さ2メートル、幅2・5メートルの観音開きの鉄扉を設置してもらった。鉄の扉の内側には、溶接でかんぬきを取り付けてもらった。

ゲートのそばに、アスカリさんが待機する1平方メートルほどの屋根つきのスペースも作った。常時そこにいることはないが、雨が降っても大丈夫だし、休憩できるベンチも作ってもらった。

これまで、見捨てられたようなひっそりとした土地であったのが、多くの職人たちによって活気に満ちた場所となっていった。人の力ってすごいなあなどと、のんきにしている場合ではなかったが、無限に出ていくお金と帰国が近いことさえ考えなければ、とても刺激に満ちたおもしろい日々であった。

汚水処理

家と道路の間のスペースに、1000リットルの水タンクをのせる、高さ2・5メートルの鉄筋コンクリートの台を作った。フィルターを通した水道水を、ポンプで水タンクに汲み上げ、水タンクにためた水を家の中に引き込む水道菅につないだ。これで蛇口から水が出るようになったのだが、下水道工事が終わるまでは水を使うことはできない。

家を建てた地域はモロゴロの一等地にあるといっても、汚水処理については、規模が違うだけで一般の家庭と同じシステムである。そのシステムというのは、地下浸透式の汚水槽に汚水を流すというものだ。

家の敷地内に台所排水はともかく、トイレの汚水を貯めるなんて想像できないかもしれない。しかし、下水道が整備されていないため、これ以外に方法はない。いかにも悪臭がしそうだが、意外にも臭いは気にならない。日本と違って乾燥しているし、微生物が有機物を分解してくれるため、ほとんど無臭と言っていいほどだ。汚水槽が新しいうちは微生物が少ないため、強烈な臭いがするということは、のちにわかったことだが。

ジャコブによると、流れをよくするため、高低差をつけた大小二つの汚水槽が必要だという。トイレとバスルームからの排水は、小さな汚水槽を通してから大きな汚水槽に流す。台所排水は、ゴミを取り除く溜め枡を通してから直接地面に流すことにした。

何十年も使えるように、大きい方は縦3メートル、横2メートル、深さ4メートル、小さい方でも、縦2メートル、横1・5メートル、深さ3メートルの汚水槽を掘ることになった。そのための穴掘りの作業員を雇い、穴が深くなるとスコップで掘った土はロープを使いバケツで搬出された。

汚水槽の穴が完成すると、鉄筋を入れたコンクリートの覆いを作り、バスルームとトイレから排水パイプをつなげていく。排水パイプを設置するのは、配管職人の仕事である。水漏れ等大丈夫かと不安になりながらも、彼らの腕を信じるしかない。汚水槽を設置する必要があるとわかっていたものの、実際に設置するのは、これだけで一大事業と呼んでもいいほどであった。

人は、いや生き物はすべて、食べて排泄する繰り返しを避けることはできない。食べ物の種類は数えあげることは不可能なほどたくさんあるだろうが、排泄の種類は、大と小、そして硬さや色の違いくらいで、世界中どこに行ってもさほど変わらないだろう。

食べ物は作り出すものだが、排泄物は処理しなければならないものだ。できれば直視したくないものではあるが、汚水処理を敷地内で完結させなければならないため、むしろ、ほかの作業よりも慎重に工事を進めた。

自然災害が多い日本では、インフラがストップすると、一番困るのがトイレの問題だ。便利さは複雑なシステムがあってこそ成り立つものなので、システムのどこかに不具合が生じると、便利さに潜む脆弱性が露呈することになる。日本の複雑なシステムの中で暮らしていると、目に見えないもの、見なくてもすむものに直面することは少ないが、何事においてもシンプルなタンザニアでは、ものごとの本質が見えやすかったのかもしれない。

いいゴミと悪いゴミ

モロゴロにはゴミ収集システムがなかったため、ゴミ処理も家の敷地内で行う必要があった。野菜くずはニワトリ、残った肉や骨は犬たちに、その他の生ゴミは土に埋めたが、紙や廃プラなどのゴミは燃やすしかない。そのため、壁を作るために用意した赤レンガのちょっと欠けたものを利用して焼却炉を作った。焼却炉といっても、四角く囲っただけのゴミ焼き場で、焼却後の灰は穴を掘って埋めることになる。

タンザニアでは、ビールも炭酸飲料も瓶で売られていて、瓶と引き換えに新しいものを購入するため空き缶のゴミは少なかった。しかし、できるだけ意識してもある程度のゴミは出てしまう。

トウモロコシやマンゴーをかじった後、道端に捨てるのはタンザニアではよく見かける光景で、わたしたちも、車の中で食べたトウモロコシの芯やバナナの皮を、人のいない藪の中に放り投げることがあった。でも、ビニール袋や紙ゴミを放り投げたりはしなかった。すぐに土に還る（いいゴミ）か還らない（悪いゴミ）かをゴミの捨て方の基準にしていた。日本の今の生活では、ちょっとためらいながら、いいゴミも悪いゴミも一緒にゴミ袋に入れるしかない。

モロゴロに住んでいたころには、小さな村でもプラスチック袋が出回り、ペットボトルの水が売られるようになっていた。使い古したプラスチック袋やペットボトルは再利用できない厄介なゴミとなり、素朴で美しかった田舎の村にも土に還ることのない悪いゴミが目につくようになってきた。

生活するのに不可欠な、上下水道、汚水処理、ゴミ処理の管理まで敷地内で完結させなければならなかったことは、大きな負担であると同時に、環境問題に向き合わざるを得なかった。

内装工事

電気工事を行うための職人をエマが手配してくれた。敷地内にあった電柱は老朽化していたがそのまま使うことにし、古い家に来ていた電線を谷を通して新しい家につなぐため、地中に埋めて通すことにした。

木材で屋根の骨組みを作ってトタンで屋根をふいたのち、骨組みに電線を取り付けていく。家電を使う場所のほか、シーリングライトを設置する場所をあらかじめ決定し、それに合わせて電線を張ってもらった。ブレーカーとお風呂のお湯を沸かすための大型の電気湯沸かし器を購入し、洗濯室に設置した。

電気工事がすべて完了すると、天井パネルを張る作業に進んだ。火災の心配が少ない石膏ボードを使うことにしたが、これはモロゴロの町で入手できるのでほっとした。石膏ボードを天井の木枠に木ねじで張り付けていくのは、脚立に乗って上を向いて行うため大変な作業であった。張り付けた後、シーリングライトを取り付ける箇所に印をつけ穴を開けてもらった。天井パネルを張り終えると、天井と壁を仕上げるためのペンキ塗りの職人を雇った。天井パネルには長い柄のついたローラーを使って石灰を塗った。

作り付けの収納やドアやテーブルを作る以外の大工仕事は、大工のメンギと彼の弟子の二人が担当してくれた。シーリングライトの取り付けも彼らにお願いしたが、とてもおだやかな人たちで、かなりのポレポレ（ゆっくり）ペースであったが丁寧に仕事をしてくれた。

タンザニア人はおしゃべり好きなので、作業してくれた職人さんたちの口数が少ないのに最初は驚いたほどだったが、日本と同様に職人気質で寡黙な人が多いのかもしれない。職人気質の夫は、いつも楽しそうに職人の仕事の様子を眺めたり、確認や指摘など必要に応じて短い会話を交わしていた。

ここで、ようやくエマの出番となる。ブルーナから聞いていたとおり、ダルエスサラームで調達したこだわりのタイルをきっちりとゆがみなく張ってくれると、想像以上にすばらしい居住空間ができあがった。

家の内壁はレンガの上からセメントを塗り、その上に石灰を塗って仕上げた。赤レンガを積み上げて作った外壁はレンガの風合いを活かすため、風化防止のニスを塗ってもらった。高低差がある外壁の床下部分は、エマと相談し、補強とデザインのため石材を張りつけることにした。

手仕事の世界

簡単に何でも手に入る便利な日本。便利さや手軽さを求める流れはとまらない。パソコンやスマホに指先で触れるどころか、つぶやくだけで欲しいものを自宅まで届けてくれるという、おとぎ話のような世界が現実となっている。だが、おとぎ話とは違って、届いたモノの流れをたどっていくと、原料の生産、調達、加工、梱包や輸送など、顔の見えない多くの人たちが働いており、複雑な網の目が世界中に張り巡らされていている。

商品が手元に届くまでの過程にある、環境汚染や労働状況などを想像することは困難であり、ほとんどの場合、消費者は品質や値段やデザインという、目に見える条件によってのみ、商品を買うか買わないかを選択するしかない。商品が届くまでの目に見えない過程は、軽快な音楽や罪のない笑顔に隠されていることもある。

家を建てるにあたり、多くのタンザニア人の職人さんたちにお世話になった。すべての作業が機械に頼らず、人の力で進められたのだが、10分も立っているとめまいがするような強い日差しのもと、黙々と、彼らのペースで仕事を進めている姿はとても印象的だった。

彼らの仕事のペースは、効率化を求めるならゆったりし過ぎであろう。だが、過酷な環境でのベストな作業ペースは彼らがよく知っている。作業ペースというより、むしろリズムというべきだろうか。職人たちからは、呼吸や筋肉の動きや血液の流れなど、生き生きとしたリズムが感じられ、彼らの身体はしなやかで美しく、引き締まっており、作業用の破れた服を着ていても、みすぼらしさなどみじんも感じられなかった。流行やブランドの服で着飾る必要がないほどかっこいいというのは、うらやましさを感じたほどだ。肩書きや学歴など通用しない世界であり、職人たちの表情も、自らの持てる力で仕事をしているという自信と誇りで輝いて見えた。

タンザニア人のおしゃべりは、たとえ、話している内容がわからなくても、まるでパーカッションのように心地よいリズムで楽しくなる。そのリズムはとても音楽的であり、スタッカートのように短く切れたり、フェルマータのように伸ばしたり、時には高くなったり低くなったり、いつまでも聞いていたいほど魅力的だ。また、人とすれ違いざまでも、流行り言葉を取り入れたりアクセントをつけたりと、短い挨拶であればよけいにその人の言葉のセンスが表れるようだ。

職人たちは手を動かしているのでおしゃべりではないが、トンカチをたたいたり木材を削ったりする合間に、軽やかなおしゃべりのリズムが聞こえてくると、雰囲気が和やかになりほっとしたものだ。

子どものころ読んだ童話を思い出した。金持ちの男の隣には、大工が住んでいて、朝から晩までトンカチをたたく音がうるさくて、ゆっくり寝ていられない。そこで、金持ちの男は大工が働かなくてもいいように、トンカチと引き換えに大金を渡した。大工はたいそう喜んだのもつかの間、やることをなくしてつまらなくなってしまった。とうとう大工は金持ちの男に金を返し、トンカチとともに生きる喜びを取り戻したという話だ。

働くことの目的はお金のためだけではなく、働くこと自体に喜びがあるのだと、職人たちの作業を見ながら、そんなことを思った。

「アサンテ」と「サマハニ」

自然と野生動物はもちろん魅力的だが、家を建てようとまで思ったのは、タンザニアの人々、特に住んでいたモロゴロの人々の魅力によるものが大きい。モロゴロでかかわった人々の営みには深く考えさせられるものがあった。

日本では一庶民であるわたしたちだが、現地では相対的に裕福な身分ということになる。そのため、しばしば、ふっかけられたりごまかされたりしたこともあった。だが、多少多く支払ったり何かが消えたりしたとしても、そのために困ったほどではなく、必要なところにお金やモノが回っていたのだとしたら（悪いことは肯定できないけれど）、自然な流れが生じたといえるのかもしれない。

お金を握りしめて、「1シリングだって手放さない！」という人は、「ムチョヨ」（ケチ）と呼ばれ、経験上、タンザニア人が一番人から言われたくない言葉のひとつだ。どうやら、お金がある人は、親戚だけでなく、周りの人からケチと思われない程度のお金を回す必要があるようだ。ある程度の収入を得たとたん、その人を頼って遠い親戚の誰かがやってくることもあり、子どもであれば引き取って学校に行かせてあげることもある。裕福とはいえないジャコブでさえ、そうしていた。独り勝ちというのは許されない文化があるように思われた。このような文化が経済の発展を妨げるという面もあるだろうが、これからも失ってほしくない、タンザニアが誇ることのできる文化だと思う。

ジャコブがアスカリとして紹介してくれたジャヌアリは、モザンビークから来た人だった。隣人であったジャヌアリが、仕事がなくて困っていたので紹介してくれたのだ。わが家で働き始めてから、二人の息子を学校に行かせることができるようになったという。タンザニアでは、家庭の事情で学校に通う子どもの年齢が違うことがあるが、それが当たり前なので同級生の年齢が違っていても問題はないようだ。

決まった仕事がなかったのに、それまで食べていけたことがすごいと思った。ウルグルの山の恵みによるところが大きいのだろうが、奥さんが地元の人だったから、奥さんの実家や親せきや近隣の人に助けてもらい、畑を耕したり、手伝ったりしたのだろう。現金収入が途絶えても、トウモロコシ畑（豆なども一緒に植えることが多い）があり、2週間で収穫できるムチチャ（アマランサスという葉物野菜）などの種をまくだけの小さな庭があれば、そして頼れる人がまわりにいれば、なんとか食べてはいけるのだ。

困った人がいれば助けるし、困ったら頼ることもある。助けることができる立場にいるとしたら、たまたま恵まれているだけで、助ける立場と助けられる立場はいつ逆転してもおかしくない。そのせいか、タンザニア人は、「アサンテ」(ありがとう)を日本人ほど口にしない。できる人ができるだけのことをするのは当然だとされているのだろう。日本人のわたしには、「ありがとう」と言ってくれてもいいのに、と思うことが何度となくあったが、そのことに気づいてからは、感謝を期待する自分が恥ずかしくなった。

山のように積まれた炭や牧草など、重い荷物を積んだ自転車やリヤカーを押して坂道で立ち往生している人がいると、近くにいる通行人が数人さっと後ろから押すのを手伝い、坂道を上り終えると何もなかったようにいなくなる。何度も目にした光景だが、お礼を言ったり言われたりする様子はない。わたしが車のタイヤを側溝に落として困っていたときも、周囲にいた4～5人が車を押してくれたのだが、脱出してお礼を言おうとしたときにはもう、誰が助けてくれたかもわからないほどだった。

また、「サマハニ」(ごめんなさい)という言葉も、日本人ほど口にしない。相手に何か壊されたりしたとき、ごめんなさいではなく、「ポーレ」(気の毒に)とか「バハティ・ンバヤ」(運が悪かった)と言われ、腹を立てたことがある。しかし、うっかりモノを壊したり失敗したりするのが人間なので、被害を被った相手に対してかける言葉としてふさわしいのだと思うようになった。

このような解釈は、何の根拠もない、個人的な感想にすぎないが、タンザニアでは、立場がすぐに入れ替わるような流動性(自由)があるからこそ、自分も他人も責めることなく寛容でいられるのかもしれない。厳しい環境でもひたすら努力して辛抱し、不条理なことにも耐えて正直に生きること、そして、「ありがとう」と「ごめんなさい」を言うことが何より大切だとされる日本で育ったわたしには、うらやましいとさえ思えるタンザニアの一面である。

5　最後の引っ越し

果樹園と4本のヤシの木

ブルーナの庭の美しいグリーンの芝生（土埃やぬかるみ防止でもある）を維持するためには、雨季以外の季節はスプリンクラーで大量の水をまく必要があった。乾季で水不足になっても、わたしたちの住んでいる地域では断水することは少なかったとはいえ、芝生に水をやるのは心苦しい。また芝生が伸びると、先がL字型をした70センチほどの鉄の鎌を持ち、腕を左右に振りながら芝生を刈ってもらうか、エンジン付き芝刈り機を使う必要があった。そのため、庭造りを始めるにあたって、最低限の水やりだけで大きな労力を要しない、タンザニアの気候にあった植物や土着の植物のみを植えることにした。

買った土地の整地が終わるとすぐに様々な植物の苗を植え始めた。日中は暑いが朝晩は涼しいモロゴロでは、ほぼタンザニア全土の植物を育てることができた。家の建設予定地の北側、土地面積の6分の1ほどを果樹園とし、まず、モロゴロで手に入るマンゴー、アボカド、レモン、ライム、オレンジの苗を植えた。夫が地方出張時に買ってきてくれた、マカダミアナッツ、ジャックフルーツ（世界最大の果実で中の実は甘みが強くバナナガムのような香りがする）、カカオの苗木も果樹園に植えた。

家の建築資材の石とセメントの残りで谷間を下りる石段を作ってもらい、谷間とその斜面にはスパイスを中心とした植物を植えることにした。ブルーナの家の庭に植えていたバニラはニームの木の根元に移植した。ニームの木の葉や樹皮は、マラリアや皮膚病に効く薬草として用いられ、多くの効能を持つことから、スワヒリ語で「ムアロバイニ」（40の木）と呼ばれている。胡椒の挿し木をマンゴーの木の根元に植え、コーヒーやリップスティックツリーのほか、斜面部分には、『星の王子さま』に出てきそうな、乾燥地でも美しいピンク色の花を咲かせるデザートローズ（砂漠のバラ）を植えた。

家のエントランス近くには4本のヤシの木を植えることにした。ジャコブと相談して数あるヤシの木からロイヤルパームを選んだ。わたしたち家族の代わりに、わたしたちがモロゴロを去った後も残ってもらおうと思ったのだ。

庭には他にも数種類のヤシの木を植えたのだが、中でもトラベラーズ・パーム（旅人のヤシ）はおもしろい植物だ。パームといってもヤシではなくバショウ科の植物だが、葉柄にたまった雨水が旅人の飲料

水となったとか、扇状の葉が東西を向いて広がっているため方角を教えてくれたとか、名前の由来にロマンを感じる。

窓のそばには、サンバード（ハチドリとよく似ている鳥）がホバリングして蜜を吸いにくる姿を見られるように、コーラルハイビスカスなどの好物の花も数種類植えた。サンバード（太陽鳥）という名前どおり、太陽の光を受けて、赤、青、黄、緑などの羽毛がメタリックな輝きを放つ、たいそう美しい鳥である。

家と谷の間には、ブルーナの庭で作ったのと同じように、ブロックで丸く囲った焚き火コーナーを作ってもらった。涼しい季節限定だが、虫よけスプレーと蚊取り線香でマラリア対策をし、サファリキャンプを思い出して焚き火をした。ヤギの足とはいかないが、焼き芋を楽しんだ。

朝、起きると、果樹園を散策し食べごろになったフルーツを朝食用に収穫する。友人が訪ねてきたら、石段を下りて谷間の小路を歩いてスパイスツアーを楽しんでもらう。これらの果実を収穫できる日はこないとわかっていたが、自分のいない未来のために、ジャコブに植えてもらった果樹の苗木は、今ごろ、たくさんの実をつけて、誰かを笑顔にしてくれているだろうか。

帰国の際、ジャコブにバニラのほか、モロゴロでは手に入らない植物を彼の家に移植してもらった。そして、２０２０年現在、ジャコブは自分の畑でたくさんのバニラを栽培し、市場に卸しているという。またコーヒーや何種類かのスパイスも育てており、それらの植物を見学に訪れる日本人もいるという。ジャコブに語っていたわたしの夢を、彼が引き継いで実現させてくれていたのだ。

宵告げ鳥

帰国の日が近づいていたので、一日でも長く、苦労して建てた家に住めるよう、まだ完成していなかったが、家の中の作業がほぼ終わるのを待って引っ越すことにした。ブルーナの家に隣接しているので、何度もランクルで往復して荷物を運べばよいのだが、近くても引っ越しは大変だ。それでも、段ボール箱に詰めた荷物を、ジャコブとサファリが軽々と運んでくれたおかげで、スムーズに引っ越し作業が進んだ。

家の建設に途方もなくお金がかかってしまったうえ、ベランダや外回りの工事が終わっておらず、出費は増える一方だった。自ら所有する家に住むことになるので、家賃を振り込んでもらうわけにはいかないだろうと、夫の職場から支給されていた毎月の家賃補助も断ってしまった。

ブルーナの家は家具と家電が備えてあったので、引っ越しにあたって、最低限の家具と家電を購入する必要があった。町の電器屋で冷蔵庫、ディープフリーザー、電気・ガスクッカー、洗濯機を買いそろえた。大工さんにダブルベッド一つとシングルベッドを二つ、机を二つ、注文して作ってもらった。

窓が大きいので、カーテンなしでは住めないため市場で安い生地を買ってきて、裁縫屋をしているエマの奥さんにカーテンを仕立ててもらった。ダイニングと居間以外は、節約のため、買った布を裁断し端の始末だけしたものを、カーテンの代わりに吊り下げた。

リビングのソファーは、道路沿いで売られている、木のつると植物を編んだベルトで作られたものを買った。素朴で悪くないけれど、ヨーロッパ製のトイレやバスタブ、タイルなどに比べ、かなり質素なものとなった。

庭に生えていたザンバラウの木から作ってもらったテーブルだけはすばらしかった。テーブルには、木枠にカーキ色（モスグリーン）のキャンバス生地を張った、タンザニア製のキャンプ用の椅子を合わせた。土色のテラコッタタイルの床にはとてもいい具合にマッチし、サファリロッジのラウンジのような空間となった。

キッチンとダイニングスペースの間の壁をくり抜いてもらい、残ったザンバラウの板を取り付けて、カウンターに仕上げてもらった。ウォルナットに似たダークブラウンのザンバラウの板が、バーカウンターのような洒落た雰囲気を出してくれた。

ダイニングの広い窓から、土地の整地を始めたのと同時にジャコブが植えてくれたアショクの木が、ずいぶん大きくなったのが見える。アショクの木は、モロゴロでは街路樹や家の塀に沿って植えられていた。インド原産の樹木でマストツリーという名も持ち、樹高が15メートルにもなるその幹はまっすぐに伸びるため、大航海時代のマストとして使用されたことからその名がついたそうだ。

何種類もの植物を植えたのだが、アフリカの植物の成長の早さを想像できず、十分な間隔をとらなかったという失敗を繰り返した。その教訓を生かして、高さ50センチほどの小さなアショクの苗を、3メートルの間隔を空けて植えてもらったのだった。

このアショクの木の間に生えているミチョンゴマの茂みに、夕方6時ぴったりに美しい声で鳴く鳥がいた。茂みに隠れてその姿は見えなかったが、わたしはこの美声の持ち主を、宵告げ鳥と名付けた。昼と夜が入れ替わるころの景色の移ろいを、美しいが切ない鳴き声とともに、はっきりと思い出すことができる。

引っ越しても外回りの工事は継続中であったし、帰国後の夫の仕事や子どもの学校のこと、そして家の管理やスタッフの処遇など、頭の痛い問題が山積みだった。それでも、どんな一日にも終わりは訪れる。崇高で美しい宵告げ鳥のさえずりは、乱れたわたしの心を鎮めてくれ、穏やかに一日の終わりを迎える気持ちにさせてくれた。

大きな家と小さな家

植民地時代の名残で、モロゴロにはまだ敷地内に使用人用の小さな家がある住宅が残っていた。わが家のスタッフは通いで来てもらっていたので、寝泊まりの必要はないが、トイレとシャワーのある休憩用の小さな家を建てる必要があった。ブルーナの家に近い庭の一角に建てたこの家を、ニュンバ・ンドゴ（スワヒリ語で小さな家）と呼んだ。

ニュンバ・ンドゴは、ジャコブとジャヌアリの意見を聞いて、彼らが住んでいる家と同じ造りにした。トイレとシャワーを使うので、そのための汚水槽を設置し、水道や電気を引くなど、小さな家とはいえそれなりの工事が必要となった。

完成したニュンバ・ンドゴを見ると、わたしたちの大きな家より、この小さな家のほうが、ずっと住み心地がよいように思われた。なぜなら、広い庭がある小さな家がわたしの理想の家だったからだ。

方眼用紙に間取り図を描いたことから大きな家になったのだが、この家を使って、いつかモロゴロでNPOを始めたいと考えるようになった。広いリビングスペースはミーティングスペースとして活用できる。キッチンの勝手口に続く広いテラスは、大人数の食事作りを考えて作ったものだ。子ども部屋はゲストルームとして使えるだろう。10台以上のランクルを停められるほどの広い駐車スペースもあるため、大きなポテンシャルがあるように思われた。

夫と二人で、こうなったらいいなあと夢ばかりふくらませていたが、結果的に、実現することは叶わなかった。正直なところ、NPOを始めるという計画は、いつの日かまたモロゴロに戻るための大義名分のようなものだったのかもしれない。

現在、日本で住んでいる家は、50平方メートルほどの狭いマンションだ。娘が海外赴任で家を出るまで、この狭い空間に家族4人で住んでいたのだった。近隣には、大邸宅が立ち並ぶ高級住宅地があるが、うらやましいと思ったことはない。大きな家を持つと、日常の掃除のほか、メンテナンスや庭の手入れなど、維持するのは大変だろう。

昔ながらのタンザニア人の住居は、土を固めて作られた壁と草ぶきの屋根のおかげで、室内は涼しく保たれ、とても快適だ。すべてがその土地で手に入る天然の材料で作られているため、修復が不可能なほど老朽化しても、放っておいたら土に還る住居は、環境だけでなく、人にもやさしい。いつの日か姿を消すかもしれないタンザニアの伝統的な住居は、みすぼらしく見えるかもしれないが、自然に逆らうことなく持続可能な、ある意味とても理想的な建造物なのかもしれない。

ダイカーの「ネコ」

ダイカーと聞いても、よほど動物に興味がある人でなければ、どんな動物だかわかる人はあまりいないと思う。ダイカーはウシ科の小型のアンテロープで、目の大きな小さなシカのような愛らしい動物である。

ある日、シモナが、彼女の農園で、親のいないダイカーの赤ちゃんを見つけたという。彼女は農園の仕事で忙しいから、育ててくれないかと頼まれた。野生動物の赤ちゃんを飼えるなんて、夢のような話だ。わたしは二つ返事で引き受けた。

ダイカーの赤ちゃんは体高が30センチくらいで、じっと見ていると吸い込まれそうになるような大きな濡れた目をしている。ダイカーの赤ちゃんの持つ不思議な魅力に、家族みんな夢中になった。

タイル張りの家の中をダイカーが歩くと、蹄の足がすべって左右に大きく開いてしまい、股関節を痛めるのではないかとハラハラした。目が離せないので、布を敷いた段ボール箱をバスルームにおいて寝床にした。

近所で買った牛のミルクを哺乳瓶で与えたが、哺乳瓶から吸うというより噛むようにして飲むため、ゴムの乳首がすぐ切れてしまい何度も買い替えた。

シモナから好物だと聞いたズッキーニを与えたが、飽きて食べなくなったので、試しにキャットフードをあげてみると、気に入って食べたことから、ダイカーの赤ちゃんを「ネコ」と名付けた。

「ネコ」はすっかりわが家に慣れたが、タイル張りの家の中では滑って走ることができないため庭で飼うしかない。問題は3匹の犬の反応だった。チャイともサルとも仲良くしてくれたやさしい犬たちだが、何が起こるかわからないため、いつも最初に新入りの動物と対面させるときはとても緊張する。念のため、3匹の犬に鎖をつけてから「ネコ」を庭に放した。犬たちはくれた。

「ネコ」に興味津々で興奮していたが、敵意を表すことはなくわが家の一員として受け入れてくれた。

「ネコ」も、犬をまったく怖がらないどころか、自分のほうが偉いのだというような気品を漂わせていて、犬たちも仕方なくそれを受け入れたように見えた。それから数日後、驚くような光景を目にした。「ネコ」が犬のおっぱいを吸っているのだ。いや正確には、親の乳首をツンツンとつつくような行動をしていた。3匹のうちメス犬はチリ（ブルーナからもらったシェパードの雑種）だけだが、チリは母性本能からか「ネコ」がつつくのを最初は許していたけれど、痛さに耐えかねて？「ネコ」を避けるようになった。チリの兄弟でオスのペリは、最初から「ネコ」を煙たがっていて相手にしない。狩猟犬のオスのマウェだけは、やさしさから、「ネコ」につつかれるのを、まるで宿命のように耐えていた。みんなあらためてマウェのやさしさに感動した。

「ネコ」は、わたしの腕にもツンツンとやるようになったが、硬い鼻先でつつかれるのは、いくらかわいいといっても、赤く痕が付くほど痛かった。まだ、母親のおっぱいをねだったり甘えたりする年頃なのだ。

「ネコ」はやがて、広い庭を思い切り駆け回るようになった。姿が見えないときでも、「ネコ！」と呼ぶと走って近寄ってきてくれるようになった。ときには、ダイカーらしく、ピョンピョンと大きくジャンプするようになり、わたしたちの目を楽しませてくれた。

夫の任期が残り少なくなり、帰国の日が近づいてきたころ、当初の予定通り、「ネコ」をシモナの農園に返しに行った。シモナの農園に行くには、「肝試しの橋」を渡らなければならない。長さ6メートルほどのこの橋は、車のタイヤ幅に合わせた2本の鉄枠が渡されているだけで、その間には何もない。そのため、川に落ちないように慎重にタイヤを鉄枠に乗せて渡らなければならない。同級生の息子がいるシモナのところに、何度か息子を遊びに連れて行ったが、毎回この橋を渡るのが怖くてたまらなかった。できるだけ下を見ず、夫のアドバイスどおりに車の中心を2本の鉄枠の中心に合わせ、勇気を振り絞って渡ったものだ。

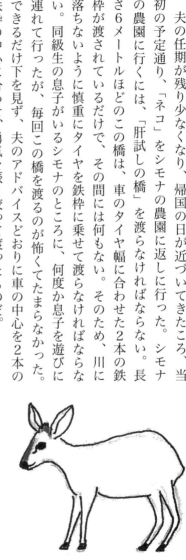

「ネコ」は農園の柵の中でしばらく飼われたあと、原野に放すという。独り立ちできるかどうか心配だし、村人に捕まって食べられてしまうかもしれない。それでも野生動物は発情期を迎える前に自然に帰す必要がある。

ダイカーの「ネコ」と過ごした日々は、引っ越してからの日々を鮮やかに彩ってくれた貴重なエピソードのひとつである。

巣立ちの時

ヒナの時からキャットフードやバッタを食べさせて育てたカッコウは、すっかり家族の一員となり、ケージに入れた手からミルワームを食べるほど慣れていた。ケージの中のバッタを捕まえ、ケージ内であったが、しっかりと羽ばたいて移動できるようになっていた。帰国の日が迫っていたため、自然に帰す必要がある。

帰国の2週間前に、カッコウがケージから自由に出入りできるよう、屋根の一部を開けることにした。ケージの屋根は、日差しで熱くならないように、ヤシの葉で覆っていた。その半分を取り除き、外に出られるようにしたのだ。

カッコウは、戸惑ったように、ぽっかりと開いた屋根を見上げていたが、ケージの外枠に飛び移った。そして長い時間をかけ決断したのか、家族とジャコブが見守るなか飛び立った。飛び立ったカッコウを目で追ったが、途中で木の枝に止まるのに失敗して、落ちてしまったようだ。あわてて捜しに行ったが、カッコウはもう一度飛び上がり、目で追えないところまで山の方向へ飛んで行ってしまった。さみしい気持ちより、無事に生きのびてくれるか、そのことだけが気がかりだった。

翌朝、ケージを見るとカッコウが戻ってきていた。餌がとれなかったのだろう。きっと腹ぺコだ。バケツから丸々と太ったミルワームを選んで与えると夢中で食べた。

3日間ほど、朝飛び立って夕方には戻ってくる日が続いた。突然のお別れにならなくてすんだのが、ありがたかった。ケージに戻る間隔は3日、1週間と長くなっていった。あるとき、戻ってきたカッコウがわたしが差し出した手に止まってくれたので、夫に写真を撮ってもらった。

戻ってきたカッコウと笑顔の子どもたちがいて、「ネコ」は庭をピョンピョンはねまわり、犬たちがその様子を眺めている。幼かった子どもたちと大好きな動物たちに囲まれたこのときの光景は、記憶の宝箱のなかでひときわ大きく輝いている。

さらば、モロゴロ

どんなことにも、始まりがあれば終わりがある。ずっといたかったモロゴロを離れる日が来てしまった。家はようやく完成したばかりで、これから落ち着いて住めるというときだった。

3匹の犬のマウェ、チリ、ペリの餌やりと世話をジャコブにお願いした。わたしたちが、サファリや一時帰国から帰ってきてゲートを開けると、帰りを待ちかねていた3匹の犬たちは、飛びはねて大喜びして迎えてくれたものだ。今回はサファリや一時帰国ではなく、二度と戻らない帰国だということを、犬たちはきっとわかっていない。今度のサファリはいつもより長いなあと不思議に思いながら、毎日毎日、わたしたちの帰りを待ち続けたのだろう。そう考えると、3匹がバラバラになっても、誰かに引き取ってもらったほうが、犬たちにとってはあきらめがついたのかもしれない。そんなことを、あとになって思いついて泣けた。

　マニキンちゃんはまだ元気だが、小さな鳥だし、わたしがいないうちに寿命を迎えることになるだろう。日本から買ってきた餌は十分あり、ジャコブが新鮮な草の実を忘れずに届けてくれ、ファリダがかごの掃除もきちんとやってくれるだろうが、寂しい思いをさせてしまうに違いない。できれば、わたしの手のひらの上で最期をみとってあげたかった。

　尾羽がなくなってしまったので、体長わずか6センチほどの小さな存在だが、モロゴロ生活でつらく苦しいとき慰めてくれたのがマニキンちゃんだった。純粋無垢な心を持つ、小さいけれど、偉大な存在だった。ダルエスサラームを離陸するときに、マニキンちゃんのことが急に思い出されて、自分でも驚くほど泣いてしまった。

　ニワトリは友人とスタッフが喜んでもらってくれた。

　スタッフに、退職金と謝礼を渡し、日用品や鍋などを引き取ってもらった。出発の朝は、ファリダが泣いていて、ジャコブもジャヌアリも、これまで見たこともない表情で見送ってくれた。

　娘と息子は、それぞれ、中学2年生と小学6年生になる。モロゴロのインターの子どもたちは、中学生になると南アフリカやケニアの寄宿学校に行ってしまうので、子どもたちにとってはちょうど帰国するべきタイミングだった。

いろいろな意味で、モロゴロを離れる潮どきだったことはわかっていた。いつか離れるとわかっていたのに、土地を買い、家を建てた理由。それは、タンザニアとのつながりが断ち切られることに耐えられなかったからだ。

そして帰国して、11年後、断ち切られる日は訪れた。

モロゴロ再訪

東日本大震災の1週間後（数か月前から計画しチケットを買っていたため）に、家族4人で5年ぶりにモロゴロを再訪した。ジャコブの家で飼われていた立派な雄鶏をファリダがおいしいスープに仕立ててくれ、みんなで食事を共にした。家も庭も、スタッフのおかげでとてもきれいに保たれていた。

犬たちは病気のため死んでしまっていた。電話で聞いてはいたが、犬たちがいない庭は広すぎた。代わりに、大きく育った果樹の実を食べに、サバンナモンキーがやってくるようになり、谷間の岩は格好のあそび場になっていた。驚くべきことに、マニキンちゃんだけはまだ生きていて、羽がずいぶんくたびれてしまっていたが、わたしを見ると以前のように喜んでくれた。再会できてうれしかったが、もう長くはないだろう。わたしはマニキンちゃんが死んだら、4本のヤシの木の根元に埋めてほしいとジャコブにお願いした。

わたしたちは1週間ほどのモロゴロの滞在を、ウルグルの山に登ったり、ミクミでキャンプをしたり、スタッフの家や友人を訪ねたりして過ごした。

その2年後、息子の大学入学前の春に、再びモロゴロを訪れた。娘はフランスの語学学校に通っていたので、このときは3人であった。今回は、何かしら意義のあることをしたいと思っていた。息子はジャコブの指導のもと、改良かまど作りに挑戦した。以前からタンザニアの子どもたちがフワフワの綿菓子を見て驚く顔を見たかったので、日本から持参した綿菓子機とザラメと割り箸をもって孤児院を訪れた。わたしは子どもたちの前で綿菓子を作り、息子は子どもたちに折り紙を教え、夫は壊れた発電機を修理した。この孤児院は毎年クリスマスにプレゼントを持って訪れていたところだ。すぐそばに貧しい子どもたちがいるこの地で、サンタさんがわが家にやってくるのはあり得ない。クリスマスには、娘と息子に使っていない文房具やきれいなおもちゃを準備させ、孤児院からリクエストされた砂糖と石鹸にビスケットをそえてプレゼントしていた。

山の中腹にあるファリダの家を訪ね、モーニングサイドに登り、ミクミでキャンプもしたのだが、もう二度と戻ってくることはないだろうとどこかで感じていた。

誰もいない家の管理を、スタッフに任せておくのは限界がある。掃除もメンテナンスもしてもらっていたが、人が住まないと家として存在する意味がない。夫もわたしと同じように感じていた。

家を手放す

2度目のモロゴロ再訪からほどなくして、夫と二人で話し合った結果、家を処分する決断をした。タンザニアでは、土地は期限付きで借りるもので所有することはできない。わたしたちの土地の借地期限を更新する時期でもあり、契約を更新しないまま切れてしまうと土地を失うことになるかもしれない。

わたしたちのモロゴロの家の近所の、広い人脈をもつタンザニア人の知人に、家を処分したいので誰か紹介してほしいとメールで相談した。すると、モロゴロで家を探している女性を紹介してくれた。メールベースで順調に話は進んだが、直接会って話さないと不安であるし、土地の契約更新もあることから、夫は一人でモロゴロに行ってくれた。

土地の借地権証書には、わたしたちが前の所有者から借地権を引き継いだ契約書が含まれているのだが、土地事務所の台帳に、わたしたちの名前がタンザニア人として登録されていたことがわかった。名字のウザワ（Uzawa）がスワヒリ語で「出自、生まれ」という意味なので、名前からタンザニア人と判断されてしまったのかもしれない。ちなみに、息子の名前もスワヒリ語で「ちょっとしたでまかせ」という意味になるので、名前をいうとよく笑われたものだった。

そもそも、外国人は期限付きであっても、借地権を有することができないということがそのときわかった。あのときの美しいカメレオンのように、手に入れるべきでないものを手に入れようとしてしまったのだ。

モロゴロに再び赴任できるかもしれないというあまい期待が外れ、ＮＰＯを立ち上げることもできず、家を維持するために、10年以上にわたって４人のスタッフを雇い、給料を支払い続けた。自営業を始めた夫の仕事が激減した時期には、家を建てたことを後悔したこともある。最終的に家を手放すまでの11年間、夢を実現したはずのモロゴロの家の存在は、経済的にも精神的にも重荷でしかなくなってしまっていた。だが、長年にわたって家を守ってくれたスタッフは、この間、定期収入があったことを感謝してくれている。また、モロゴロの家の建設にあたって、のべ３００人以上の人を雇用したことで、貯金残高は減ったけれど、意味のあるお金の流れができたのだと思えるようになった。家も土地も失ったけれど、家を建てるにあたってかかわった多くのタンザニアの人々との出会いや経験こそが、永遠に失われることのない貴重な財産となっていたのだ。

あとがき

夫の赴任に同行し、家族で8年間、憧れの地で暮らせたことはとても幸運であった。最初の4年間は、赴任先がセルー野生動物保護区で、次の4年間はモロゴロという小さな町だった。モロゴロでは土地を手に入れ家を建てた。この間、様々な貴重な体験をしたのだが、帰国して日本で暮らしていると、それらの体験や感じたことを、少しでも多くの人に伝えたいという気持ちになった。一つひとつのエピソードを思い出すことは、ときに楽しく、ときに悲しく、ひとりで泣き笑いしながら書き進めた。

タンザニアといっても、海岸地帯、乾燥地帯、森林地帯など、地形は変化に富んでいて、灼熱の乾いたサバンナもあれば、厚手のコートが必要なほど寒い高原もある。わたしたちが住んでいた場所は、広大なタンザニアのごく一部にすぎず、ここで書かれているエピソードはミクロの世界での経験にすぎない。また、タンザニアという国や人々を手放しで礼賛するものではないが、今の日本のありようを考えさせるような、あるいは、失ってしまった、忘れてしまった、悠久の昔から変わらない、大切なものが息づいているように感じられた。

好き勝手にやりたいことをやって、子どもたちを振り回してきたため、帰国後は冒険心もタンザニアへの情熱も封印し、動物の子育てを見習って、子どもたちを巣立ちさせるためにエネルギーを注いできた。また、わたしの夢を叶えてくれ、わがままに付き合ってくれた夫が、会社を立ち上げ運営するのをおとなしく支援する役割に徹することにした。

大切な成長期をタンザニアという特殊な環境で過ごし、インターの多様な文化で育った娘と息子は、帰国すると日本の同質性を求められる学校生活では浮いた存在となってしまった。

頑張り屋の娘は、インターの中で日本人として認められ受け入れられるため、とても努力していた。しかし、帰国すると、今度は日本の学校生活で居場所を失ってしまい、さらに困難な時期が続くことになった。つらい思いをさせてきた娘を励まし、一緒に悩んだ結果、得意な語学力を生かし外交官として日本のために働く道を選んだ。現在、遠く離れた地で、慣れない仕事と生活に苦労している娘だが、タンザニアで学んだ強さとやさしさと、誰に対しても公平であることをいつまでも忘れないでほしいと願っている。

小さいころから動物学者を目指していた息子だが、大学進学を考える時期から、なにか変化があったようだ。野生動物や自然環境を守るためにも、社会を動かしている大きな力である経済について学びたいと、経済学部に進学し、経産省で働く道を選んだ。タンザニアで生まれ、大自然の中、動物に囲まれてのびのびと育ってきた息子が、満員電車で通勤し深夜まで働いている。情報が溢れかえり複雑になりすぎた世界で、自分を見失いそうになったときは、タンザニアで学んだことと自分の原点を思い出してほしい。

理解のある夫のおかげで、アフリカで動物に囲まれて暮らしたいという、幼いころからのわたしの夢を実現することができた。夫の性格、生き方は、車の運転同様、とても慎重で安全走行だが、いつの間にかタンザニアへの情熱を共有し、ばかげたことに思われるようなことにも付き合ってくれたばかりか、後始末まで引き受けてくれた。物事の本質を見誤らないようにしようとする精神は、亡き父から受けついだようだ。学生時代、アフリカへの熱意を理解してくださった、恩師である中別府温和先生から、その後の人生の糧となり指標となる多くのことを学ばせていただいた。この本を完成させることで、少しだけ恩返しできたような気持ちになれた。82歳になる母は、本の出版を誰よりも強く後押ししてくれ、原稿を丁寧に読んで、細かい誤字脱字まで直してくれた。本好きの母にとって最高の親孝行だと思う気持ちも、原稿に向かわせてくれた。

娘と息子が、誕生日や母の日にプレゼントしてくれたカードはわたしの宝物だ。子どもたちのおかげで困難に立ち向かい強くなることができた。カードに描いてくれたイラストのいくつかは挿絵として使っている。

わたしたち家族が、タンザニアでの日々を無事に過ごすことができたのは、多くの日本人と外国人の友人、そして、わたしたちを大きな心で受け入れてくれた、偉大なタンザニアという国とその人々のおかげであり、心から感謝したい。

完

鵜沢　由紀子（うざわ　ゆきこ）

福岡県大牟田市に生まれる。生後10か月のころ、通りを歩く犬を追って２階のベランダから転落。３週間意識を失うも、病室の窓に来たハトの鳴き声で目覚めるという、生まれながらの動物好きが高じて、アフリカへの関心をもつようになる。2009年、夫婦で、国際技術協力を中心とした会社を設立。2017年より、ギタリストで絵本作家の佐藤洋平氏に、ウクレレを師事。

Illustrated by Hikaru Uzawa.

タンザニアばなし

2020年９月26日　初版第１刷発行

著　者　鵜沢由紀子
発行者　中田典昭
発行所　東京図書出版
発行発売　株式会社 リフレ出版
〒113-0021　東京都文京区本駒込 3-10-4
電話 (03)3823-9171　FAX 0120-41-8080
印　刷　株式会社 ブレイン

ISBN978-4-86641-346-4 C0095
Printed in Japan 2020